Emilio Carballido

Flor de abismo

Grupo Editorial Planeta
México

Emilio Carballido

Flor de abismo

COLECCION: GRANDES NARRADORES

Dirección editorial: Homero Gayosso A. y Jaime Aljure B.

Diseño de portada: Gerardo Islas
Ilustración de portada: Gustav Klimt
Foto del autor: Rogelio Cuéllar

DERECHOS RESERVADOS

© 1994, Emilio Carballido
© 1994, Editorial Planeta Mexicana, S.A. de C.V.
          Grupo Editorial Planeta de México
          Avenida Insurgentes Sur núm. 1162
          Col. Del Valle
          Deleg. Benito Juárez, 03100
          México, D.F.

ISBN: 968-406-382-2

Primera edición: marzo de 1994

Impreso y hecho en México-Printed and made in Mexico

Impreso en los talleres de: Impresos y Acabados Marbeth
(Cerrada del Alamo No. 35, Col. Arenal México D.F.)
Esta impresión consta de 3,000 ejemplares

FLOR DE ABISMO

1

¿Cómo se llega a ser parte de un grupo?

Es muy parecido a cortejar una novia: acercamientos cautos, un encuentro más largo; buscar afinidades y subrayarlas; dar la razón en parte, pero negar también, oponerse a algún punto, sin pasión excesiva... Y tampoco ser tibio. Ser, en fin, la versión más mostrable, semisincera pero no profunda, de sí mismo. Hacer aparecer alguna obra, después. Acceder a leerla cuando ya nos lo han pedido varias veces.

Ese fue mi camino. Como ingresar a un complejo sistema planetario donde cambian a menudo las órbitas. Busqué la mía: traté de hacer la elipse de un cometa que se va acercando al sol. Es muy claro que el sol era el Poeta.

En aquel pabellón, que pretendía ser rústico, en las afueras de esa ciudad pequeña, vivía por temporadas en compañía de su mujer y de su cuñada, con la presencia más que frecuente de ese grupo brillante, ser colectivo, mínima colmena. En ocasiones, nos portábamos como un aguacero, o como un ciclón, según. Éramos a veces el mar contra las rocas. Muy a menudo, un idílico lago, juego de espejos donde nos reflejábamos los unos a los otros.

I

Respetábamos, sobre todo, el humor del maestro. Éramos su pantógrafo colectivo, un conjunto de mimos nada torpes. Sabíamos bien la clave del sistema. Y obedecíamos.

Un lago y hondo, lleno de sombras por los líquenes y de sombras violáceas por la profusa floración de pequeños lirios acuáticos, con manchones también de brotes sonrosados, un lago así lo tenían al pie de la pequeña colina. Le habían sembrado sauces en las orillas y en la isleta; daban un vibrar melancólico, las ramazones ondulantes, chorreando hasta las aguas. Allí, nuestros paseos campestres y los almuerzos sobre la yerba.

Llega uno remando: hay césped para tenderse, mesas hechas con troncos sin debastar; se llevaban guitarras y mandolinas, había música y se oían al atardecer las notas de un vals de Ponce, rasgueado en el salterio por Serafina, mientras su hermana Ágata (que en realidad se llamaba Genoveva) inclinaba la cabeza, murmurando algunos versos de su marido.

Él la bautizó Ágata, en el soneto lleno de esdrújulas que se ha vuelto famoso. Ágata por el color de sus ojos, grandísimos, y así la llamó durante el noviazgo y así la llamamos todos.

(Ese orgullo secreto que uno sentía, esa encendida, humildísima soberbia de apelarlas familiarmente:

—Ágata, ¿está... el Poeta? ¿Está el Maestro?

Ahí fallaba la audacia: nunca lo llamamos por su nombre.

—Serafina, dice tu hermana que pasemos al comedor.

Frases tan inocentes y tan cargadas del más profundo orgullo, pues nos hacen sentir que somos íntimos, que platicamos con las Musas, que respiramos inmediatos a un Elegido).

El pabellón fue, en su origen, una casita humilde y campesina, con paredes de adobe y un techado de palmas que el Poeta cambió por tejas. Fue después aumentando cuartos: todos encristalados, con más puertas-ventanas que paredes, en torno a la construcción original.

En el pueblo cercano derrumbaron un ala del deshabitado convento: el municipio bárbaro jugaba a *modernizarse*. Columnas del siglo XVII vinieron a sustentar las cristaleras. Se las dieron como regalo al Poeta, que fue a traerlas de los escombros y las que no pudo ya usar en la construcción, las sembró en el jardín y también un par de grandes arcos labrados; allí se les trepan las campánulas y las guías de los rosales.

Ágata y Serafina son curiosamente disímiles. ¿Hermanas? Se pensaría que una de las dos fue adoptada. Serafina: pelo muy negro, fuerte, lustroso, lacio, que recoge en un nudo flojo sobre la nuca, con dos alas que le tapan las orejas y le enmarcan la suavidad del rostro. No tiene los ojos tan oscuros como uno piensa: son cafés y suponemos negros por las ojeras que les dan sombra. También la tez es de ese tinte mexicano que aquí llamamos blanco, pero la hermana muestra un albor que alude a sangres francesas, blanca traslúcida con el pelo castaño, tan ligero, tan tenue como pelusa de pollito recién nacido. Y los ojos, más que

9

azules, color violeta, color ágata.

Un placer verlas juntas: las uñas nacaradas de Serafina rasgan las cuerdas, la muselina gris de perla sobre el césped. Su hermana entona suavemente la Canción de los No-me-olvides, versos de su marido a los que puso música inspirada el maestro Carrasco.

Cae la tarde en la isla. Se estremecen los sauces, como con miedo; las ondas oscuras traen reflejos de nubes y las manchas de las flores acuáticas empiezan a apagarse con el oro y el carmín que desde el cielo chorrean hasta el espejo de las aguas.

Se habla poco. Al acabar la música, un suspiro y silencio. Plenitud del anochecer y mientras sangra y funde metales una mitad de la bóveda, la otra está muy quieta, como atónita, tersa, y un desvahido azul se destiñe hasta lo blanco y ya se enjoya con el enorme, palpitante fulgor de Venus-Quetzalcóatl.

Música, versos... Conversaciones inteligentes y, a menudo, malignas. Es curioso cuan poco habla el Poeta. Y sin embargo, pareciera nutrirse de todo esto. A él se dirige todo, él es el centro, aunque no manifieste ni gozo ni fastidio: arte, ingenio, frases notables, gestos graciosos, van a que los reciba como ambrosía, como alimento, como ofrendas.

Después, la procesión de barcas, el chasquido de los remos; más suspiros que risas, pues anegarse así en la belleza no nos exalta: da, más bien, una melancolía dulzona, semiangustiosa, como si hubiéramos probado sorbitos de Eternidad.

Ágata viste de morado: una gasa de seda con florecitas bordadas, que ondula en torno a ella, la inmaterializa; el suavísimo pelo recibe el aire y también flota, mientras la hermana, que ha soltado el suyo, lo deja pesar como una densa cortina negra sobre las espaldas, se recarga en un sauce y parece, por un momento, dríada, o Dafne, o la encarnación misteriosa de la noche.

Subimos la colina y el pabellón resplandece. Desde afuera pueden verse muebles y cuadros, por que están encendidos los quinqués y las lámparas.

Sobre el piano brilla la seda de un mantón de Manila. Los suelos son de mosaicos poblanos y hay un gran óleo de Clausell que repite ese lago y esa isla muy a la manera de Monet.

Vemos la casa desde afuera como un radiante escaparate; parece inalcanzable, pues aquí es la noche rústica, cantan ranas y sapos y los grillos otorgan su contrapunto complejo.

Ya va a salir la luna: está anunciándose con un discreto rubor de rosa en el filo de un terciopelo luctuoso; esperamos la aparición del disco, sin penetrar a ese decorado: un interior para alguna obra dramática en idioma extranjero, de esas que a veces vemos sin tener pistas de su tono, ni menos de su sentido.

Luego, mientras se eleva el globo marfilino, con ligeros rayones de sangre, ¡ya estamos dentro! Somos la obra dramática y sus actores. Luz y reflejos han cancelado el mundo exterior, pero algunos sabemos que ahí está. Es como si la noche nos observara, casi sentimos sus ojos invisibles, al otro lado de los vidrios.

No sólo yo: veo las miradas de Serafina, que parecen buscar algo allá afuera. También el Poeta espía la luna, o algo... Y Ágata mira al suelo, como si los reflejos de los vidrios le dieran miedo.

Nos ofrecieron algunas cosas deliciosas: carne fría, vino fresco, un postre de nuez y almendras.

Ya hay un poco de ebullición, no demasiada, pero se habla en varios puntos a la vez y los globos de las lámparas ponen matices sobre los rostros, rosa o azul o ámbar, según el área de la pieza. Algunos tendremos el privilegio de quedarnos; otros, los más, se irán al pueblo.

Aún hay música, y de piano: Chopin, naturalmente, ese vals punzante, opus póstumo en mi mayor. Alguien dice después una elegía. Yo me atrevo a leer mi soneto de la rosa y recibo un comentario del poeta, que me hace latir más aprisa el corazón.

Después, las despedidas.

El poeta mismo me conduce a mi cuarto. Puedo así conocer la vivienda entera, su ingeniosa distribución en torno a la casita original; ésta quedó como un oscuro punto de paso, vacío y deshabitado, por el cual se llega a los escaparates de cristal que ahora se nublan con cortinas de flores y mariposas, transparentes, de encaje chino. Las paredes están empapeladas, pero en mi cuarto se ha despegado un tanto el tapiz y ahí asoma la tierra cocida al sol, de los adobes. ¿Un poco así como el Poeta?

Es un hombre fuerte, moreno, de bigote recio bien dibujado y facciones regulares, que se iluminan cuando sonríe. Ojos no demasiado grandes, pero asombrados y dulces, los iris de un café amarillento les confieren luces felinas. O una franca fijeza de gato cuando escucha leer a alguien. La boca un poco gruesa, golosa diría uno. Algo en él revela una infancia indigente, una primera juventud con privaciones. Como una nube pasajera: recupera su elegante estilo suave, ligeramente irónico. ¿O quizá inocente, y la ironía es una suposición nuestra?

Veo un par de acuarelas, muy bien ejecutadas, con algo radiante, desproporcionado y fantástico que no reconozco de pronto. El pintor usa poco la transparencia, espesa los colores. Aparecen figuras ambiguas y embozadas. Evidentemente, no son obra de Clausell. Y hay un dibujo, de línea muy refinada, ¿retrato de Ágata?

Con sonrisa humilde, dice:

"Son míos. Con este paisaje, ¿quién no va a pintar?"

Me entero de que estuvo año y medio en la Academia de San Carlos. Hablamos vagamente del lago, de la noche, de este paraíso de cristal con sus dos dríadas.

La luminosa Ágata llega, trayéndome una taza de porcelana con un líquido claro, más bien verdoso.

—Para que duermas bien. Un tecito de flor de abismo.

No conocía ni el nombre ni la yerba. Me la van a enseñar al día siguiente.

—Lo tomamos todas las noches.

Florecillas menudas y doradas en unas ramas de hojitas lacias y tupidas. El aroma está más cerca del anís que de la albahaca, al romper el tronco sale un juguito lechoso, con algo de goma.

Crecen en las barrancas y entre peñas. Por eso su nombre.

—Así podrían llamarse la poesía... y el Arte —comento.

—Y así podría llamarse la vida humana —dice él, y sonríe como si eso fuera gracioso.

Algo narcótico han de ser esas flores, pero también algo que exalta el alma del durmiente. Pues tuve sueños, y uno de ellos, sonámbulo.

Soñé un beso. Bajo un sauce. Con el brillo anormal de una gran luna. Era un beso que no era mío: éramos yo y una dríada, ¿cuál de las dos?, y al mismo tiempo no era yo, era el Poeta.

Y estaba yo de pie, viendo por los cristales y el frío de mi frente era el frío del vidrio.

Semidespierto, despierto ya, con los ojos clavados en la noche donde dos sombras parecían desvanecerse como mi sueño.

Volví a la cama, con la inquietud que produce el sonambulismo. Volví a dormir, ahora si hasta ese fondo que promete el curioso nombre de la flor.

2

Como el rayo. Como una sucesión de relámpagos atroces en esa absoluta oscuridad que llamamos la vida diaria, surgen luces lívidas que iluminan rincones ¿a fin de que entendamos menos?

Lo que nunca quisiéramos narrar. Menos aún, después de aquella tarde, de aquella hospitalidad encantada, de esa serena profundidad que destilaban los seres con los que compartimos algunas horas.

Pensé en Ofelia. Pero ella estaba loca.

Accidente: ¿cómo poner los accidentes en el esquema cotidiano?

El privilegio del talento, ¿debe tener unido el funesto don de la desgracia desmesurada?

Apareció flotando entre los lirios acuáticos. Pero a Ofelia la vemos siempre con la canción entre los labios, sostenida por sus vestidos y flotando hacia el mar.

Serafina ya estaba hinchada, medio podrida, carcomida de peces o de que ya su carne se desprendía, sin fuerza para seguir dando esa forma que fue tan bella como un sueño.

Podrida, hedionda, Un accidente cruel, atentatorio a la razón y al orden de las cosas.

2

La tragedia puede explicarnos la destrucción de seres admirables por un error de carácter, por una falta contra el Gran Orden. ¿Pero esta niña dulce y oscura, con su don musical, con su salterio dócil que parecía al tocarlo un arcángel barroco mexicano?

¿Qué error cósmico puede ser salir a errar en la noche, ebria de estrellas? ¿Y tomar una barca, que está dañada o que se vuelca? ¿Qué error cósmico puede ser vagar, como sonámbula, y caer en el agua y no gritar, hundirse mansamente para salir así, pestilencia flotante, negación del encanto y del ensueño?

No pudo averiguarse cómo: pues no faltó ninguna barca. ¿De qué manera fue a dar al agua esta muchacha? ¿En dónde, a qué hora que nadie vio?

Y la orilla no es honda; para poder ahogarse haría falta caminar bastantes metros. Y ella tenía toda su ropa, rasgada y enlodada, los pies descalzos, nada más, pero siquiera su pobre cuerpo no apareció en la nauseabunda desnudez de los ahogados.

Ágata y el Poeta no lloraron. Como dos máscaras de yeso pintarrajeado de gris, asistieron a todas las lúgubres ceremonias legales que rodean un accidente: levantamiento de actas, interrogatorios.

Dudas y confusiones de la iglesia: ¿no se trataría de un suicidio?

Y por fin, esa misa espantosa de cuerpo presente, porque el cuerpo apestaba: no nos atrevíamos a taparnos la boca con el pañuelo. Ágata y el Poeta, arrodillados junto al féretro, no parecían advertirlo.

Allí quedó la tumba: de momento, sólo una cruz rústica y el nombre y flores y las dos fechas.

Ágata sembró rosales, violetas y no-me-olvides.

Eso había hecho el agua. Vino después el fuego.

Irracional, inexplicablemente, otro elemento desatado.

Un quinqué de petróleo: ¿explotó? ¿Se volcó? ¿Resbaló de las manos de la infeliz? ¿Cómo pudo bañarla así, cómo pudo envolverla en llamas? Que de pronto una antorcha viviente salió aullando del pabellón encristalado y así, en flamas, rodó por la colina, casi hasta la orilla del lago.

Y ahí quedó tirada, gimiendo y sin que nadie se atreviera a tocar aquello, aquella cosa chamuscada y horrenda que había sido Ágata la del soneto.

La llevaron por fin a la sacristía del pueblo, porque claro que no hay hospital. Reciben allí menesterosos y ancianos y enfermos. Los curan como mejor se les ocurre, pero ¿*aquello*?

De la misma época que la iglesia, y contigua, esa casa da la impresión de ruina o de miseria; se abre al fondo del atrio, la planta baja tiene una pieza enorme y casi desnuda, donde reciben algunos pobres y los auxilian.

El cura y el sacristán son un tanto yerberos y curanderos, se ocupan de algunos accidentes de trabajo, rezan y ponen escapularios sobre heridas y malestares.

El cuerpo fue a dar ahí, a un catre en el rincón. No se atrevían a desprenderle las tiras de trapo pegadas a las llagas: le pusieron fomentos de te y alguna yerba y baba de sávila. Rezaron y lanzaron exclamaciones y gemidos.

El Poeta llegó de la capital: otro catre fue puesto, allí muy cerca para él. Que ni durmió ni descansó, sentado, vigilando el proceso de sufrimiento irremediable.

Desfilaron, de momento, muchos vecinos, gimientes y bien intencionados. Él pidió que no dejaran entrar a nadie.

¿Quién podía desear que esa infeliz viviera, así como estaba? Sin decirlo, seguramente rezaban porque muriera y dejara de sufrir. Vivió.

Quedó tuerta, calva, con el cuero cabelludo hecho una llaga y luego un nido de costras. La nariz carcomida y el otro ojo sin cerrar nunca; para dormir tendría que ponerse un parche, algo para ocultar la luz. El cuerpo... La piel...

No quiero describir eso.

Podía hablar, yo la oí pedir agua y oí también algunas frases incoherentes, como delirios, que dijo a gritos desde el cuartito en que la guardaron después; se las oía retumbar sin entenderse más que el nombre de su hermana.

Después, cerró obstinadamente la boca.

Empezó a caminar y quitaron de su alcance todos los espejos. Pero dicen que un día la vieron contemplando el fondo de la fuente. Claro, no veía el fondo sino el reflejo infernal de eso que se había vuelto su cuerpo y que iba a ser su envoltura, su esencia, su imagen hasta el último día que viviera.

Después, el Poeta la condujo a la casa, esto es, al pabellón encristalado, a ese estuche de vidrio que sirvió para traslucir la belleza increíble de las dos hermanas.
Lo de después, me lo contó una sirvienta.

Que llegaron y Ágata no habló, no habló más. Apoyada en el brazo de su marido, recorrió las habitaciones como si fuera una visita que nunca hubiera estado allí.
Pasó la noche sola en uno de los cuartos para huéspedes. ¿Acaso el que yo ocupé?
Pasó en silencio días, días y días. Se amarillaron los sauces. Una mañana se levantó: sin hablar y sin ayuda de nadie, empacó un equipaje cuidadoso y nutrido, como para un viaje largo. Después, se fue: sola, con la criada acompañándola hasta la estación, dos pueblos más lejos.
Llevaba un sombrero con velo espeso y aún así se advertía su rostro carcomido, derretido.
Tomó el tren, se fue y no volvimos a saber de ella. ¿Al extranjero? ¿A encerrarse en alguna de las casas de su propiedad?

El Poeta quedó solo, en el pabellón encristalado.

3

—No tan cariñosos. Recibían a uno bien, pero con su reserva. Y de pronto, a un recién aparecido, lo volvían su íntimo.

—Íntimo, a nadie. Reservados, con todos.

—Sí, una apariencia de misterio. Se les veía pasear por la Alameda: qué estampa, el mocetón muy serio y bien vestido, las dos mujeres en contraste, como dos musas. Pero... algo como... con un halo de...

—No se reían a carcajadas, jamás.

—Herméticos. La palabra es herméticos. A él: ¿cuándo lo vimos desbordado de... de amor, o de... *algo*? Ellas...

—Sí, las veíamos tejer, deshilar y hacer música. O bien, una pintaba a la acuarela, mientras la otra devanaba madejas de estambre... Nunca se separaban.

—Eran huérfanas. Crecieron con una tía.

—Huérfanas, no. Yo conocí a la mamá. Pienso que vive aún.

—Las abandonó, entonces.

—Niñas bellísimas, mimadas, los dos juguetes adorados de la tía. Ella las enseñó a cultivar el contraste.

—¿Cuál es la mayor?

—Ágata.

—No, Serafina.

—No era fácil saber. A veces lo parecía una, a veces la otra. Ante ellas, lo más difícil era escoger, decidir: ¿la más bonita?, ¿la más simpática?, ¿la más inteligente?

—Muy distintas. Por eso, tal vez, se querían tanto. Lo contrario que las gemelas: les busca uno las diferencias y las encuentra fácilmente, y elige fácilmente... Las gemelas acaban repudiándose, intentan ser ellas mismas. Y estas dos, Ágata y Serafina, eran ellas mismas sin esfuerzo, por diferentes. Por eso era imposible separarlas, o elegir.

—Él hizo un cuadro de ellas...

—¿Cuadro?

—Dibuja bien. Y pinta.

—Hizo un cuadro así como desproporcionado, pero muy grato, digo, los colores medio excesivos, aunque... en fin... Y muy fiel, con las dos abrazadas, mejilla con mejilla, sentadas en un campo de flores enormes y borrosas, con el sol poniéndose de un lado y la luna saliendo del otro. El sol, claro, del lado de Ágata; la luna con Serafina.

—¿Tía solterona?

—Viuda. Pienso que algo infantil. Dueña de un feudo inmenso, allá en el norte. Adoró a sus dos muñecas, les dio cuanto quisieron, las educó para el gran mundo, que nunca conocieron...

—¿Nunca? ¿Y la vida con el Poeta? ¿Y nosotros?

—Si tú llamas a eso gran mundo... —Sonrisita maligna.

—Entonces, ese poeta lo compró para ellas.

—Por favor, no seas vulgar ni digas así las cosas.

—Así que él pinta.

—Ya no.

—No lo sabemos, la verdad.

—Yo sí lo sé. Lo he visitado, casi contra su voluntad. No quiere oír su propio nombre, ni "maestro", y quiere que uno lo llame... de otro modo.

—¿Cuál?

—Otro. No voy a hablar de eso.

—¿Y no escribe? ¿Qué hace?

—Podría decirse que... esculpe. En... mármol.

—¿Cómo? ¿Cómo es lo que hace?

—Difícil de decir. Y no está contento con las visitas.

—Tiene la mente... la razón... extraviada, ¿no?

—Yo no diría eso. Pero tanta soledad... lo desacostumbró a la compañía.

—Una desgracia así, tan horrorosa... Dos desgracias así, ¿qué pésame puede darse? ¿Qué consuelo, qué compasión podrían ofrecerse?

—La verdad, se le fue dejando solo. Nos ausentamos todos.

—Incapacidad absoluta para compartir el horror.

—Y ya ven, él tampoco quiere visitas.

—Al principio, fuimos muchos, bastantes.

—Y no recibía a nadie.

—Y claro, algunos iban queriendo ver como había quedado Ágata. Para salir a contarlo.

—Las desgracias atroces, les despiertan a algunos

un poquito de malignidad.

—En este caso, un poeta tan eminente, vi ojos que brillaban al comentarlo. "A ver qué escribe ahora", decían.

—Un poeta así, ¿de qué pueblo salió? ¿En dónde se educó?

—Dicen que labraba la tierra con su abuelo, que fue seminarista, pero después lo ocultó cuidadosamente.

—No ocultaba nada porque no mostraba nada: el arrebato de sus poemas tiene detrás un aire abstracto. Ideas, sentimientos, nada anecdótico. El júbilo delirante de la "Oda a la Divina Providencia" no es clerical, ni beato. Es pagano, es adoración al júbilo de la vida. Un poema ebrio.

—El poema, tal vez. Cuando él bebía, no cambiaba nada. Si acaso, hablaba un poco más y se le enrojecían los ojos, era todo.

—"Yo, como las naciones felices
y a ejemplo de la mujer honrada,
no tengo historia, nunca me ha sucedido nada".
Eso que dice Nervo, parecía haberse escrito para ellos.

—Ahora tienen historia. La que nadie querría tener.

—Eso no es Historia: dos catástrofes gratuitas sin nada en derredor. La Historia se entiende, puede narrarse.

—¿Hay algo gratuito?

—Pero esto no se entiende. La Historia es comprensible.

—No: no lo es. La vuelven, alevemente, los que la narran. Pero en verdad es un tejido de tinieblas y confusiones, de sinrazones y de marchas a tientas. Y no se entiende: se le da la coherencia al escribirla.

—Escribe, pues, la historia de ellos tres. A ver si toma coherencia o si se entiende.

4

Perdí mi nombre. Ahora soy la Araña. Quien se dirija
a mí ¿alguien se dirige a mí?
debe decirme Araña.

Tejiendo. ¿Cómo?
La araña pierde el secreto de la tela.
¿Qué le queda?
Sin oriente, la araña da vueltas, babea y brota un em-
brollo, un cúmulo un
¿Qué brota?

Admiraba su propia tela: visible como un trazo impal-
pable, lleno de sentido, una traslúcida simetría, un
compendio geométrico.

Tiemblan los hilos, el dibujo, vibran en la luz. Con el
rocío, es un ábaco de vidrio. Las cuentas ruedan y se
funden, hacen operaciones numéricas exactas.
No es necesario interpretarlas: son parte de lo mismo.
La Araña sabe porque la tela es de ella, ella es la tela.

Tiene la más profunda sabiduría: sabe todo y saber todo es igual a un gran relámpago o a una gran tiniebla.

Saber todo es ser todo, araña y tela en unidad, telaraña.

La tela tiembla, visible e invisible. La tela es una trampa.
Libélulas, mariposas, moscas doradas, moscas negras, polillas, gusarapos.

"Porque teje su tela es que la Araña nos atrae. ¡Ese hilo que brota de su boca!... ah, ese hilo... maravilloso, ah..."
Así habla el alimento.

Tejen las aves una red de cantos.

La Araña, en sí, es ágil. Nadie advierte que es horrorosa. Mueve las ocho patas y segrega ese hilo como si fuera un venero de palabras. No advierten a la Araña. El tejido es bello, es admirable. Eso es lo que advierten. La obra es mejor que las palabras, más duradera, mucho más sólida, la telaraña.

Las abejas: crean sus monumentos dulces, arquitecturas titánicas de miel y cera: eso es la palabra de la abeja.

¿Sabe la Araña para qué teje, por qué teje?
Teje.
¿Y quién podrá advertir si hay imperfecciones en la tela?

¿Se asfixian quienes cayeron en la red?

Asfixia la inmovilidad.
La voluntad de la Araña maneja todo: ocho patas rasguean, la tela se estremece y hay aleteos de ahogo.
Brotan armónicos de los hilos, como de arpas, como de mandolinas.

Asfixia.
Gestos involuntarios, zumbidos.
Esa red se ha ensuciado. Ya no exhibe rocío.
Colgadero viscoso, polvoriento, con los seres aprisionados que vibran y vibran hasta que los devoran.

¿Cómo se rompe la tela?
Se rompe.
Estallan hilos, un hilo, varios, la arquitectura semivisible cae.
Ya no hay tela. Y la araña perdió la clave. Ya no sabe hacer telas.
El hilo brota y es una baba que se acumula.

Ya
nada
tiene
forma.

Hay telas que se rompen por el peso de la sucia intimidad:
substancia etérea de simetría esplendorosa
y le caen suciedades, sábanas, ropa íntima maculada, detalles sórdidos
chasquea el primer hilo.

Rincones, objetos.

Sombra. Polvo y polvo.

La Araña ve la forma de la tela en los vidrios rotos, en las grietas de las paredes, en las piedras que el sol y la noche desmoronan. En el agrietarse múltiple del trozo de hielo, en la botella que explota al arrojarla contra el muro: por un instante eterno el estallido es telaraña. Luego, astillas, vacío sin forma ni sentido.

En todas partes se cruzan líneas, se forman redes, se entrecruzan las ramas de los árboles, las ondas en el agua.

Redes vacías, no tienen caso ni sentido ni lucidez.

Aquello era perfecto y casual, era una forma que contenía un sentido y ese sentido se expandía al minucioso entretejer de los cielos, a la maraña meticulosa y perfecta, la telaraña celestial que admite todas las posibilidades, hasta la extravagancia de los cometas.

Telaraña vacía, hilachos tristes, cochambrosos, con los restos disueltos de ideas, de sentimientos, desalojada la belleza

(¿hubo en verdad Belleza?)

El horror de la Araña desorientada, sin el secreto de la tela. Busca en trapos, papeles, piedras, huele perfumes deshabitados, toca las ruinas contaminadas.

La telaraña irrecuperable, única, ¿cómo pudo existir? Era tan natural, tan cotidiana, un milagro gustado sin sorpresas

Ahora es el asombro
¿cómo? ¿Yo la hice?, se pregunta la Araña, ¿cómo?

¡Tantos y tantos gestos caben en un día!
Y hay uno (NO SABEMOS CUÁL) capaz de romper la telaraña
no sabemos cuál no sabemos cuál

hasta después.

5

No pensé que la casa estuviera así, el pabellón. Las cristaleras rotas, remendadas con madera, con latas aplastadas a pisotones, con papeles y trapos.

El lago sucio y medio seco. Creció el pueblo y ahí desaguó sus inmundicias. Secaron los veneros.

Algunos troncos rotos dicen donde hubo sauces. Los tiraron para hacer leña. A algunos, los quemaron por gusto, así de pie; el cuerpo chamuscado es testigo de esa forma gratuita del rayo: la infantil malignidad humana.

En la colina, esa construcción enferma, llena de parches.

Y no hay huellas de bala por aquí, pero en el pueblo...

Mejor será no regresar al pueblo,
al edén subvertido que se calla
en la mutilación de la metralla.
Hasta los fresnos mancos,
los dignatarios de cúpula oronda,
han de rodar las quejas de la torre
acribillada en los vientos de fronda.

Y la fusilería grabó en la cal
de todas las paredes
de la aldea espectral,
negros y aciagos mapas...

Tiene razón López Velarde, pero volví porque se preparaba una exposición. La oficina de Bellas Artes la organizaba.

Curiosos el gusto, la moda. Al Poeta, como tal, lo han olvidado un poco. Sus juegos de color y línea, en cambio, son muy valuados hoy, se buscan sus dibujos y más aun sus escasos cuadros. Lo comparan con Emil Nolde y con algún otro escandinavo, pero hay también quienes nombran a William Blake, no sin razón.

A los poemas... Se les halla algo ridículos a veces, "tanta sonoridad de banda de rancho". Eso dicen. Yo sigo estimándolos y amando mucho algunos, como una parte de mi ser; hay versos que nos configuran el oído y la vida y el alma; según el sol o la estación o las situaciones brotan por sí mismos y los murmuramos. Ahí viven en nosotros, puntales de la casa de palabras en que crecimos.

La fidelidad al Maestro me había hecho volver otras veces: esa mezcla de cariño con el miedo que da un ser superior a uno; volví con reverencia y con un desconsuelo protector, como ante un niño ajeno que no podemos cuidar debidamente.

Entonces, manteníamos diálogos entre lúcidos y horrorosos, especie de alusiones indirectas y oscuras a su desgracia.

Yo no sé qué comía habitualmente, porque nunca había nada. Llevaba yo una cesta con alimentos, vino, fruta, coñac. Él aceptaba todo. Comíamos.

No se dejaba dar ningún título. Neceaba con insistencia espantosa y tranquila, de loco, para que lo llamara yo la Araña.

Pagué a una mujer del pueblo, a fin de que subiera a limpiar a veces: una viuda, marchita. Le tomó lástima.

Me informaba:

—La Arañita comió muy bien, un guisito que le llevé.

Después, los años atroces de nuestra Historia.

Dejé de ir. De la mujer, no supe más. Cuando volví, la busqué en el pueblo: se acordaban de ella pero no sabían donde estaba, o por qué se había ido.

—No es por dar mala razón, pero los chismes dicen que se fue a tener un hijo a otra parte.

¿Fruto de la Revolución?

Y brillaba ahora la ruina, a pesar de todo, cuando le daba el sol: los vidrios sucios esplendían, con fogonazos de cardillo, mientras iba subiendo la desolada colina.

Columnas por tierra; lagartijas y grillos en el yerbazal seco que rodea el pabellón.

La puerta estaba abierta

El pretexto que me puse para venir fue tratar de encontrar algunas obras: pinturas, dibujos de los de antes... ¿O quizás algo nuevo?

¡Y yo hubiera querido su poesía! Imposible que haya dejado de escribir.

Me acordaba muy bien de un cuaderno sobre su mesa, manuscrito, con el dibujo de una araña en la cubierta.

Quería saber también que conclusión formal habían tenido esos bloques de mármol que le traían y que a martillazos hacía estallar en formas arbitrarias. Para luego pulir algunas lascas al azar. ¿Al azar? ¿O por algún motivo estético? Pulirlas y cincelarlas, contradiciéndolas o siguiendo lo que proponían...

Entré. Polvo. Vidrios rotos. Muebles cojos con la vestidura rasgada. Girones de cortina en alguna ventana. Ningún cuadro.

Quise llamar: "maestro". No iba a contestarme. Tampoco iba yo a gritar "Araña", el solo nombre al que respondía. Antes. ¿Tal vez había pasado ya ese capricho?

Dije por fin... su nombre, ese nombre de pila que siempre me había dado respeto y pudor pronunciar. Lo dije y avancé.

Pasé por la habitación donde él duerme, y el lecho ofrecía un cierto orden, y el cuarto estaba barrido.

En el fondo, lo hallé. Entraba el sol por todas partes. Tejas levantadas del techo filtraban rayos, donde bailaba un cosmos de polvillo dorado. Por las ventanas entraba el sol también, relampagueando. El suelo limpio, barrido y lavado.

Ahí estaba él, sentado, semiarrodillado, contemplando *aquello*.

Aquello... ¿Cómo podríamos describirlo?

Más alto que yo. Un acumuladero de piedras de mármol... Pero nada casual. Porque habían sido esculpidas y bruñidas. No todas. Unas encima de otras, como un rompecabezas o como una especie de juego, uno de ésos en que arrojamos varillas, al azar, y debemos retirarlas una a una, sin romper el equilibrio de las otras.

Pero esto era lo opuesto: había acomodado trozos, uno a uno, en equilibrios difíciles, y el peso de los otros, encima, los había detenido. Algunas, sin devastar. Otras pequeñas, insignificantes. Y óvalos bruñidos, aros, formas extravagantes, tiras largas como reglas de medir, cubos, prismas y en el conjunto la sensación de caída inminente, desastrosa.

El sol daba por todos lados. Entre los muchos huecos se le filtraba y parecía haber una luz interna, grietas de sol y sombra que moldeaban con mayor énfasis la anormalidad, el desequilibrio —el equilibrio— del conjunto.

Él alzó los ojos. Nos vimos sin decir nada.
Me senté a su lado y contemplé *aquello*.
—Tal vez ya no se derrumbe—, dijo él.
Y empezó a explicar, con un tono maniático y repetitivo, lo que aquello era, su origen.

En un momento dado, en la más completa oscuridad de una noche que ya duraba muchas noches sin fin: habló con Dios.

Habló con la altanería del desesperado y le dijo un

cúmulo de reflexiones amargas y reproches.

Después, le propuso un pacto.

Y a todo esto le contestaba un silencio más largo, más profundo que el de la noche.

El pacto era:

"Voy a inventar Tu imagen. Si la toleras, querrá decir... que la aceptas. De algún modo, me bastará con eso.

Aunque no me aceptes a mí, que recibas la imagen".

Y aquí estaba, en proceso.

¿Cuándo la iba a acabar?

No sabía. La imagen misma iba a decirlo.

"La obra terminada muestra su forma completa. La obra terminada es tan clara como una flor".

Vi, al lado suyo, las piedras que iba a seguir acumulando. Alguna tenía el acabado minucioso del cincel y refinadas espirales en una especie de sinuosidad sensual. Otra, era simplemente una gruesa costra recogida del suelo.

Y había más en el taller contiguo. Y había un bloque, dispuesto para ser despedazado.

Sentado así, contemplaba el montón de piedras, mientras el cuarto empezaba a oscurecer y un calosfrío ligero anunciaba la noche.

La luz en fuga daba una especie de amenaza al montón incoherente: parecían pesar más, volverse rocas brutas y crueles, así entre blanquecinas y azulencas, casi fosfóricas por el opaco atardecer. Las sombras acentuadas, el despropósito acentuado: más aberrante aún lucía el trabajo para erigir esa mole.

¿Se le habría derrumbado ya cuántas veces?

Ni siquiera era fea. ¿Despropósito? Tampoco: voluntad desvariada. Caería en cualquier momento, con estruendo, con polvo.

¿Y la Araña qué haría? Digo, el Poeta, él pues, como se llame. ¿Volvería a empezar? ¿Se volverá loco, ahora sí, indubitablemente?

La penumbra borraba los cantos más pequeños, individuales, y quedaba una masa, oscuridad compleja y llena de dureza, de oquedades, con el tenue fulgor, de pronto, de algún plano bruñido, del filo de algún cubo o la casi dulzura de una superficie redondeada. Parecía crecer con las sombras, ser algo más vasto al emborronarse.

—Pero... está terminada —mentí.

—No trate de engañarme. Usted sabe lo que le falta.

—No, no lo sé. Creo que nada.

—No está acabada.

—¿Cuándo va a estarlo?

—En principio, debe ser infinita. Crecer más, crecer más... —Volvió a sentarse a contemplarla.

—¿Y si se derrumba?

—Es el peligro de toda obra, ¿no?

Esperé un rato.

Esa cosa, en la oscuridad, esa cosa no era imagen ni nada mejor siquiera que el montón de tierra que se escarba para una tumba, o que el montón de piedras brutas para construir una barda.

Eso me agredía, me alarmaba, me amenazaba.

No había nada que comprender y sin embargo, me empezaba a exigir que lo entendiera o lo aceptara o lo derrumbara ya de un puñetazo.

La tiniebla lo unificaba en un manchón irregular y único.

Él seguía allí, enfrentándolo.

Murmuré una despedida y él contestó con un suspiro de vocales y ahí se quedó, viendo la obra y esperando respuestas.

La gente del pueblo lo encontró muerto más de un año después.

Algunos campesinos advirtieron la convergencia ansiosa de alas negras, alas y alas deslizándose suavemente contra el fulgor del medio día, para caer allí, sobre el pabellón.

Avisaron al pueblo.

Encabezó la marcha el presidente municipal, y no sabía si despedir a los curiosos que se iban agregando, hasta formar un pequeño cortejo. Les permitió subir la cuesta; al pabellón no los dejó entrar: puso dos policías a la puerta, y estos tuvieron que tomar palos para alejar a los mirones y espantar a los zopilotes que buscaban también el modo de colarse.

Lo hallaron en el suelo y al asco del hedor se unía la repugnancia de ver comer esos picos voraces en las cabezas encapuchadas y tiñosas.

Las espantaron como mejor pudieron; las aves se resistían a irse, amenazaban casi con atacar.

Hubo que disparar al aire y así se dispersaron, huyeron por la puerta con sus cojos pasitos, salieron por donde habían entrado.

Otros disparos alejaron a todas las que esperaban en el techo, el cielo se llenó de aleteos furiosos que daban vueltas y vueltas en torno al pabellón.

Irreconocible, por supuesto, ¿pero quién iba a ser, si no el Poeta?

Irreconocible estaba desde hacía años, flaco y lleno de greñas, con la ropa rota y en desorden.

Pues eso que quedaba se lo llevaron y surgió el respeto por su nombre y todos se descubrieron.

En una puerta improvisada de camilla, cubierto con girones de cortina que arrancaron a las ventanas, lo llevaron en procesión al pueblo.

Había salvas de balazos, de tiempo en tiempo, para dispersar el cortejo aéreo, voladero sombrío que los acompañaba desde lo alto.

Alguien, una mujer con la voz estrangulada de lágrimas, empezó a cantar la canción de los no-me-olvides, letra del Poeta. La corearon algunos, otros la callaron y alguien le dijo "no es el momento".

Esa carroña carcomida fue puesta en una mesa, primero, después en un ataúd de pino, muy sencillo. La bañaron en formol. Le pusieron encima la bandera mexicana.

Cuando llegamos, hacían guardia los niños de la primaria, aunque algunos no aguantaban la pestilencia y lloraban. Los dejaban irse.

Fui con funcionarios de la cultura y poetas y críticos.

Éstos empezaban, ahí mismo, una revaluación de la obra poética. Y seguían encomiando, hasta las nubes, su escasa pintura.

Se habló de recuperar ese pabellón en ruinas, de volverlo un pequeño museo.

El salón oficial era la sacristía de antes, ese cuarto grandísimo, desolado, que ya no era eclesiástico gracias a la Revolución. Seguía dando servicios de enfermería cuando era necesario, pero también había escritorios con máquinas de escribir descompuestas y secretarias confundidas y campestres.

Todos hicimos guardias. Se dijeron discursos, se hicieron breves biografías del Poeta, en retórica oscura y circunloquial.

Para el entierro, buscaron el sepulcro de su cuñada; querían ponerlo junto a ella.

Tantas tumbas abandonadas, tanto montón de tierra sin seña alguna, todos cubiertos de yerbajos ralos y sedientos... ¿Quién iba a hallar el sitio en que quedó Serafina?

Sobre la tumba de él colocaron una gran lápida en blanco. Ya vendrían después a grabarle versos y fechas, y el gran nombre.

Era el atardecer cuando subimos a revisar lo que se había vuelto ya una morada histórica.

Yo no comenté ni expliqué ese montón de piedras:

ahí estaba. Había crecido enormemente y había cambiado de forma.

No sé si Alguien podría reconocer Su imagen en aquello. Pero no se había derrumbado.

México, D.F., 13 de marzo/28 de julio, 1993.

SOBRE VIRTUDES TEOLOGALES

No sé por qué me hacían muy a menudo la pregunta de si quería yo mucho a Lupe. Contestaba que sí, aunque tuviera todos los impulsos de decir "no".

Lupe me daba clases de catecismo. Su hermana, María, me enseñaba piano. Medias hermanas y esa historia es compleja y se emborrona ya en mi recuerdo de tantísimos chismarajos de Cosamaloapan, Veracruz, a orillas del Papaloapan. Recuerdos heredados de mi abuela y mi madre, que incluyen inundaciones, crímenes, fantasmas, sodomías de panaderos, iglesias y cementerios tragados por el río, novios ahogados, novias abandonadas... Entre todo ese mundo, esta era (me parece) la traición de una hermana que se metió con su cuñado y entonces él tuvo dos casas y dos familias. Las dos hermanas dejaron de hablarse. Más aún, empezaron a difamarse mutuamente. María era hija de una de ellas, la esposa; Lupe de la otra, la concubina, y cuando nació ciega dijeron: "castigo de Dios".

Ya está dicho: Lupe era ciega. Tenía unos ojos de vidrio azules, radiantes y con apariencia de mirar penetrantemente, tal vez por lo fijos. Su piel, intensamente color de rosa, tersa y pulida, brillosa, sin una sola arruga (y así parece que la conservó la vida entera); el pelo, blanco plateado. "Canas prematuras", decían, las tenía desde la juventud. Cuerpo basto y blando, con senos pesados y de forma poco usual porque ella y su hermana se hacían unos refajos a mano, nada de brassieres, que su formación católica les impedía usar. Pues la Iglesia Católica siempre suele estar contra las prendas más cómodas, ventiladas e higiénicas. Ellas mostraban una pudicia exacerbada, mezclada a fondo con la religión, que las hacía triplementa alerta a todo lo que fuera sexo: la manera de rechazarlo y cancelarlo era hablar de ello en modos muy elípticos, exaltados y curiosamente explícitos.

Pienso que era Lupe quien sacaba a colación lo mucho que yo la quería y esto ocasionaba que mi pobre madre (tan desconectada de mi sensibilidad) me llamara delante de las visitas para el atroz interrogatorio:

—¿Tú quieres mucho a Lupita?

—Sí.

—¿Mucho?

—Sí.

—¿Y te casarías con ella?

—Sí.

Luego me iba, retorciéndome de humillación, mientras oía repetir el diálogo muy enriquecido, y ya en otra ocasión se diría: "Emilio dice que él se va a casar con Lupita".

—Ah, ¿sí?

—Pregúntenle, si no.

Y volvía el maldito cuestionario, enriquecido, claro, hasta cimentarse como histórico que yo tenía una pasión anormal por mi maestra de catecismo.

Creo que Lupe me daba un poco de horror. La piel se

me figuraba de ratón recién nacido, más ese pelo blanco y los ojos penetrantes y fijos, que yo sabía que no veían... ¿Pero no veían? Íbamos por la calle y decía:

—Tú crees que yo no veo. Pues yo se que ahí hay un bulto muy grande, ha de ser un camión de carga. Y la pared (estaba lejos de ella) es rugosa, ha de ser de piedra.

Muy cierto. Sabía muy bien hasta si las cosas eran de color oscuro o claro. Maneras de su percepción, tan agudas que parecían sobrenaturales.

Luego, en la mesa y mientras comíamos, se metía de pronto un pañuelo a los ojos y los limpiaba por dentro, así como uno se limpia los labios con la servilleta.

Cargaba siempre una bolsa de hule grande, con libritos de catecismo y con regalos que la gente le hacía. Limosnas, decía ella, muy tranquila. Era de una humildad tan enérgica que podría pensarse en un orgullo muy selecto. Aceptaba pobreza, bastardía, invalidez, con una firmeza y casi arrogancia que volvía a todo mundo muy solícito en torno a ella. Pedía con suavidad pero de modo que hacía innecesario que alzara la voz o repitiera lo pedido. Había aceptado su condición íntegramente: esto parecía darle una gran autoridad, un halo de respeto y sumisión de los demás. Si se ofrecía, hablaba sin reticencias de su madre y de su relación poco usual, para luego compararla con la mujer adúltera de los Evangelios y con la Magdalena: que llegaron al cielo mucho antes que gente de vida más ordenada. De su papá, proyectaba tan solo una impresión de severidad y ausencia. Sin vacilar, honraba padre y madre.

Ella y María vivían en la colonia Estrella, cerca ya de la Villa de Guadalupe. Había comprado María el terreno antes de que aquello se urbanizara. Pasaba el tranvía en medio de yerbazales y altos campos de girasoles. Entre éstos, había callecitas algo improvisadas, otras más bien trazadas. Aquello tenía un porvenir inmenso, decían. (Nunca lo tuvo).

María construyó primero un gran cuarto de ladrillo con ayuda de un único albañil, dirigido por ella. Vivieron allí las dos con Lupita, la hija adoptiva de María, llamada como su hermana.

Cuando volvió a reunir dinero suficiente, otro cuarto se alzó junto al primero. Y después otros dos, encima de éstos. Y otros dos más al fondo. Una cocina grande y un baño con tina substituyeron las covachas improvisadas del principio. La casa era un agrupamiento de cubos de ladrillo rojo, más bien irregulares, con escaleras y corredores por fuera y un patio al centro. Ventanas y puertas, todas diferentes, las había ido comprando en demoliciones. Ya después habían trepado enredaderas, todas floridas, algunas aromáticas, y desde la azotea se podía ver un panorama de maleza, flores doradas, árboles y arbustos, casas en construcción y la mancha amarilla del tranvía, que escapaba como borracho, dando campanazos. El aire olía intensamente a yerbas y a flores, zumbaban los insectos.

La casa de María me parecía bellísima y me gustaba ir aunque no hubiera más niños que Lupita, mayor que yo, y aunque rezara uno antes y después de las comidas. Luego, había pasteles y hasta helados.

Los pasteles tenían siempre una cualidad de misterio que estaba a punto de volvérmelos repugnantes. Ya me habían servido mi tajada, ya estaba yo paladeándola y descubriendo que era deliciosa, cuando María empezaba a preguntar:

—¿A que no adivinan qué es?

—¿No es harina de trigo?

—No

(Otras probadas, saborear...)

—De... ¿centeno?

—No

—De... ¿papa?

—No

(Otros bocados, cuidadosos...)

Yo ya esperaba lo peor y empezaba a horrorizarme. Saber por fin que aquellos pasteles eran de zanahorias en una ocasión, de nabos en otra, o de habas o de garbanzos, hacía que les perdiera el placer y que los últimos bocados se me atoraran.

—¿Quieres otro pedacito?

—No, gracias.

Pero me lo servían.

A esas reuniones —de cumpleaños, de aniversarios— iba gente mayor, todos paisanos. Se tocaba el piano, se recitaba, se cantaba, ópera y zarzuela, y hablaban sobre todo de recuerdos. Las veo todas como una misma reunión, borrones idénticos, llenos de trajes oscuros y gestos mesurados.

María desbordaba la caridad más espontanea y activa.

Entre sus hermanas, era la única que había pensado en recoger a la ciega bastarda, brotada de tan grave esción familiar.

En los cuartos del fondo vivían dos ancianas oaxaqueñas que con trabajo ayudaban a la limpieza y a la cocina, porque ya estaban de veras muy viejas. No eran parientas ni criadas. En realidad, creo que María las dejaba hacer algo para que no se sintieran como arrimadas.

Cuando el callismo cerró los conventos, un orfanatorio de monjas tuvo que repartir sus niños a diestra y siniestra, donde cayeran. María tomó uno. Pidió niña y que fuera la más fea, una que nadie más pudiera querer. Esa le dieron.

Lupita carecía de buenas facciones pero lo malo de verdad no era de nacimiento: a fin de tenerla sana, su madre adoptiva la hacía comer sin tasa ni medida, como ogresa que alimenta una ogrita; sin la menor idea de coquetería, la vestía con batones abominables, conforme a su inocente idea de lo infantil.

La niña Lupita llamaba *tiama* a su madre adoptiva y *tía* a Lupe. Sabía su origen triste, no se lo ocultaron porque "nunca falta la gente mala que puede venir y refregárselo en la cara".

Las ancianas oaxaqueñas no participaban mucho en la casa cuando había invitados, pero yo sí las visitaba a ellas y espiaba sus cuartos llenos de santos; las veía llenar botellas con grillos y chapulines que cazaban en los terrenos vecinos.

—¿Para qué?

—Para comerlos. Son muy sabrosos.

Huía yo, no fueran a convidarme. Fue muchos años

después y con mezcal y en cantina, cuando aprendí que en verdad los chapulines oaxaqueños son exquisitos.

María mantenía a todas y había pagado el terreno y construido la casa a punta de lecciones de piano. Trotaba todo el día, ella también con su morral de hule, lleno de libros de música, un metrónomo y ollas y jarros para bocaditos que le convidaban en las diversas casas de alumnos y que guardaba con una alegría muy inocente.

Era alegre María, muy corpulenta, con una cara redonda de monja contenta y santurrona.

—Cuando son muy grandes las preocupaciones, que ya no puedo más, pongo todo en manos de Dios, para eso es mi padre. Le digo: Tú resuelves todo. ¿Vieras que tranquila me quedo?

Mi madre, angustiada por naturaleza, le contestaba:

—Ah, pues sí—, y hablaba de otra cosa.

Lupe no era alegre: satisfecha sería la palabra. Y sus pequeñas ganancias de catequista eran para ella misma: ropa, polvos de arroz (que le aplicaba la sobrina), perfumitos, modestos encajes para adornar sus cuellos y no imagino que otras pequeñas concesiones a la frivolidad y la pulcritud: todo para sí.

En la casa de ellas rezaban una cantidad tal de oraciones, se mencionaba tanto a Dios y a la Santísima Virgen que uno sentía cierto fastidio al pensar en ir. Dios más que la Virgen. Creían en ellos con firmeza de roca, en ellos y en todos los dogmas y principios y en cuanto propone la iglesia católica, sin desviarse ni un milímetro.

Y claro que confiaban también en la otra vida, esplendorosa y llena de bienaventuranza, justo equilibrio para todo lo que les negaba ésta. Aunque María, más que pensar en carencias parecía muy pronta a alegrarse por lo que le daban y a recibirlo con cierto pasmo agradecido.

María vestía de negro, casi hasta los pies, una especie de traje sastre eterno que de seguro en ninguna época estuvo de moda. Saco y falda larguísima, zapatos toscos, blusa blanca y colgajos de cadenas con medallas, una lupa, un relojito. Sombrerito negro muy informe, chongo desbaratado y canoso. Bastante alta, yo la veía gigantesca y muy corpulenta más que gorda, con andar desacompasado y torpe, como si tuviera problema con las piernas y tal vez lo tenía. Se fatigaba mucho y no paraba, desde temprano. Para tomar el tranvía, buscaba atajos entre girasoles y matorrales. Así le pasó un infortunio mitológico.

En el terreno inmediato a su casa amarraban un guajolote enorme, colérico, vano como todos los de su raza, que son simples pavos y se creen reales, desplegando sus cortas colas de plumas blanquinegras e hinchando y enrojeciendo sus feísimos mocos y sus pescuezos roñosos.

—¡Górogorogoro!

Amenazaba el animal cada vez que pasaba María con sus fatigados trancos, y se hinchaba y hacía el intento de ir hacia ella. Que lo ignoraba y seguía le largo, pero un poco asustada siempre por lo gigantesco y agresivo del animal.

¡Una mañana se soltó! Y se lanzó a perseguirla. Ella gritó, huyó como pudo, abrazada a su pesado bolsón, correteada por el pajarraco alevoso. El guajolote corría, gritaba su górogorogoro estridentemente. María tropezó y se cayó. El pavo le dio vueltas, le hizo la rueda completa, la picoteó, se trepó sobre ella y la pisó, como Zeus a Leda, salvo que María estaba vestida y bocabajo, por fortuna, y gritaba y gritaba y nadie venía a salvarla de tan indecentes alegorías.

El animal se regodeó cuanto quiso, hasta que al fin llegaron las ancianas y la niña Lupita a salvar a María y a espantarlo. Se fue inflado, muy digno. Ella se levantó sucia, histérica y llorando a gritos. Se metió a la cama, enferma de humillación. Ese día no dio clases.

Las ancianas lo contaron a Lupe y ésta a todas las amistades, en tonos ponderados, el atropello que ese animal indigno le había cometido a su hermana. La Caridad no era el fuerte de Lupe, ya lo dije: sólo la Fe.

En cuando a la Esperanza...

Vivían tan pobremente que resultaba natural darles limosnas y ellas las recibían con entusiasmo y sin mengua de su propia estimación ni de la de los demás. Dije ya que creían en una vida mejor, después de ésta. Y María estaba contenta con la suya en este mundo, obviamente: para ser valle de lágrimas, bastantes dones le parecía tener. Se preocupaba un tanto por la niña, pero la iba a dejar hecha una maestra de piano y dueña de una casa, ¿qué más podían pedir?

Lupe esperaba mucho más. Con gran firmeza creía tener derecho a que Dios le premiara la ceguera, las privaciones, la castidad, el errar de tranvía en tranvía para enseñar catecismo, aunque nadie tuviera en verdad ganas de aprenderlo.

(Además, viajaba gratis. Confieso que esto sí lo envidiaba yo: como era ciega, le habían otorgado un pase permanente para los transportes públicos. Podía pasearse horas enteras yendo de un punto a otro en las rutas más largas, y lo hacía a veces, por diversión.)

Lupe había estudiado en la Escuela de Ciegos; contaba con mucha exaltación los vicios que allí se practicaban y los acosos a su virtud. La verdad, no exageraba: la plaza de Loreto, en la cual se encontraba la escuela, era famosa por las exhibiciones que daban las parejas de ciegos, muy envueltas en su propia oscuridad que, claro, no compartían los pasantes. Mi hermano y sus amigos iban a veces a espiarlos y a gozar el espectáculo de tanta libidinosidad.

Los que veían un poco, contaba Lupe, eran los peores. Se apostaban acostados bajo las bancas, para ver dentro de las faldas. A uno que lo intentó con ella, le pisoteó la cara con todas sus ganas.

Pero fue buena alumna: leía Braile, tenía nociones generales y una instrucción normal.

Yo sabía bien lo que *lujuria* era y bastante bien lo que era *fornicar*. Pero preguntaba su significado a Lupe y ella acumulaba impresiones con gran desenvoltura, de modo tal que *fornicar* se volvía una especie de agresión colérica, próxima al asesinato, y *lujuria* una mezcla de borrachera con malas conductas surtidas.

—¿Si le contesto groserías a alguien, es lujuria?

—Unas groserías son cólera, otras son lujuria.

Demasiado astuta para mí.

Bien educado por Lupe, hice la confesión más falsa y embustera que nadie se haya atrevido a hacer, conforme a lo que según ella sería un niño modelo. El pobre cura dijo en privado a mi madre que yo era un ángel de pureza y ello lo creyó, mientras cualquiera que me viera los ojitos de sátiro miope en un rostro demacrado y febril podría suponer algo más atinado.

Mi desayuno de comulgante fue fantástico: panes, pasteles, delicias de almendra, chocolate; mi abuela y mi madre hicieron gala de sus inmensas artes culinarias. Lupe y María estaban muy emocionadas. El regalo de María (y hay que pensar en sus estrecheces económicas) fue pagar un fervorín, y esto significa un trozo de oratoria religiosa dirigido a mí por el cura, que según decían era orador prodigioso. Recuerdo una cadena de metáforas bíblicas y generalidades, con llamados vibrantes a conservar la pureza; me sentí muy incómodo mientras desgranaban galas retóricas para provecho mío.

Acabadas las clases, Lupe no dejó de visitarnos con alguna regularidad. Aprovechaba cada vez para aleccionarme sobre la vida. Me aconsejaba ofrecer mis penas y trabajos como sacrificios a Dios:

—Por ejemplo, si tienes que acompañar a Lupita al tranvía, es un sacrificio que ofreces a Nuestro Señor.

—(Se decía Lupita a sí misma)— Si Lupita te pide que le hagas un mandado, lo ofreces a Dios para ir con alegría...

Salían ejemplos y ejemplos de sacrificios que ofrecer a Dios y siempre la favorecida era ella.

Lupita la niña, mientras tanto, crecía. Ya tocaba conciertos y la tiama, con grandes sacrificios, para sus quince años pagó una orquesta pequeña que la acompañó en el Quinto de Beethoven. María ocupó el podio. Su traje era idéntico a los de siempre, pero de terciopelo, nuevecito y con la falda más larga. Este concierto se dio en la Sala Ponce, de Bellas Artes, que se llamaba entonces ¿Salón Verde?

Lupita se vistió de gasa rosa. Parece que se veía abominable. Yo no lo advertía: con ojos de costumbre y amistad, nunca la vi tan fea como las paisanas dizque compasivas comentaban. Decían que estaba igualita a una rana grandota. Yo creo que no era cierto; la leyenda del modo en que fue pedida al orfelinato, muy difundida por Lupe, pesaba siempre sobre cualquier apreciación objetiva. "¿Pues cómo no va a ser fea, si María escogió lo más horroroso que había?", decían concluyentemente.

¿Cómo era en verdad? Estaba gorda, pero mucho menos que de niña, chaparrita, trigueña de un color limpio, cara ancha, boca grande y delgada de oreja a oreja, nariz tosca algo aplastada; los ojos oscuros, expresivos y con algo de ese contento de su tiama. En sus quince no habría estado tan mal si no le hubieran consentido que se cortara el pelo para hacerse un permanente infame. En unos dos años podría salir a dar clases a domicilio y ya después del concierto recibiría una que otra niña, en la casa, para cursos elementales.

Pero, ay, la primavera; los girasoles y las abejas y el zumbido de insectos, y aquella vista extensa, desde

la azotea; todo un mundo amplio, asoleado, radiante...
En los terrenos vecinos (ésos del guajolote) empezaban a construir casas. Lupita se enamoró de un albañil. Yo creo que las ancianas oaxaqueñas lo advirtieron y no dijeron nada. ¿Ayudarían tal vez al noviazgo?
Se veían, se reunían a escondidas en algunos recove-
cos de la colonia. Lupita intuía muy bien que eso no
estaba incluido en los planes de su tiama. Discreción,
misterio y una pasión desaforada. ¿Cómo pudo no verlo María? Si Lupita brincaba, chisporroteaba, estaba
en una exaltación constante que el día de sus quince
fue muy evidente, pero todos lo atribuyeron a la gran
ocasión: era una crisálida que se volvía mariposa etc.
etc. según dijo el discurso de un lírico y erudito profe-
sor oaxaqueño que comentó su "entrada en sociedad",
esa noche en la casa, entre tantas visitas de la edad de
su tiama; yo, menor que ella, y unas criaturas enclen-
ques y tragonas de 7 a 9 años, éramos la única compañía juvenil de la reunión.

Lupita desapareció un rato. Pensaron que había ido
al baño o que... Nadie hizo caso. Casi nadie. Había ido
a recibir un lindo regalo de su albañil, una polvera
musical que tocaba el Danubio Azul al destaparla.

Pues María no veía nada, pero su hermana Lupe
veía *todo*. Hasta la polvera. No sé cómo se habrá ente-
rado; su percepción anormal, en primer lugar; después, ha de haber sometido a un interrogatorio inqui-
sitorial a las viejitas arrimadas.

Cuántas elipsis y cuánta exaltación para develar la
intriga. María no podía creerlo. Lupita confesó todo:
había bastante menos de tanto que Lupe había averi-
guado.

¿Cuál habrá sido la reacción de María? Era sensata, de corazón abierto. ¡Pero su educación, pero tanto catolicismo...! Una virgen siempre valdrá más que cualquier mujer casada, por eso la Virgen lo es, aunque madre y esposa. Y tantos planes inconscientes que esto contradecía... Fue un sufrimiento horrible. Ellas eran gente decente, aunque al filo de la indigencia; ese hombre era un pelado aunque ganara bien.

Lupe hizo inmensas disertaciones a la muchacha: su origen, su fealdad, la gratitud que debía a su tiama, la indudable intención de deshonrarla que tendría el albañil; lo imposible de unir una maestra de piano con el más humilde y depravado ("todos son borrachos") peón de la construcción.

Lupe permanecía en la casa todo el día, como un Argos ciego, vigilando a la muchacha. Su tiama se enfermó al fin: ahogos, palpitaciones, desmayos, dolores en el brazo... Era el corazón, que ya se anunciaba defectuoso desde hacía rato, sin que quisieran hacerle caso.

Lupita renunció a su noviazgo. Las razones de Lupe habrían bastado para precipitar a cualquiera otra en los brazos de veinte albañiles, pero ella renunció, escogió ser maestra de piano, decente y muy probablemente soltera para toda la vida. Se definió claramente el dibujo de calca sin deliberación consciente que tantos preparan para sus hijos: ella iba a repetir largamente la vida de su tiama... pero sin Lupe.

El odio a Lupe fue el resultado de tantas gestiones policiacas, tanto sermón y tanta vigilancia. Empezó a hacerle groserías pequeñas, por ejemplo, polvearla como payaso para que se rieran de ella. (Lupe entonces aprendió a polvearse al tacto). Le salaba la comida, le escondía objetos. Luego, fueron agresiones de mayor dimensión. Lupe contaba en sus visitas como Lupita ya era mala, grosera y corrupta, desde su contacto con "el pelado aquel".

Yo dejé de tomar clases de piano: las escalas, los ejercicios más severos que imponía mi avance hacia grados superiores, me resultaron una aburrición insoportable. Así, vimos poco a mi maestra, bastante más a Lupe.

Supimos que ya el testamento de María estaba hecho, dejándole todo a la muchacha y nada a la media hermana. Que si María falleciese, Lupe se vería en la calle, atenida a que almas caritativas la recibieran en su casa, pues esa Lupita se había vuelto un demonio. Mi abuela y mi madre tosían y decían vaguedades, alarmadísimas de que Lupe fuera a creerlas almas caritativas.

Supimos luego que el corazón de María empeoró: cayó en cama, la obligaron a reposar. Tomó Lupita el bolsón de hule, con libros, ollitas y metrónomo. Se presentó con los alumnos en vez de su tiama.

No sé si Lupe se quedó con ellas hasta el final. La situación con Lupita se había vuelto muy grave.

Yo había crecido lo bastante para irme a Córdoba un año entero, con mi padre, volverme otra persona, regresar con la voz ronca, hecho un gañán flaco y atrozmente independiente, para horror de mis pobres madre y abuela.

María había muerto. No sé qué fue de las dos ancianas, pero Lupita heredó todo y aun dio un concierto (al cual no fui) en la Sala Ponce, sin orquesta. Por el programa, era evidente que sus gustos habían evolucionado en relación con los de su tiama: la cual llegaba hasta Saint-Säens cuando muy moderna. Esa vez Lupita tocó la "Ondina" de Ravel y el Allegro Bárbaro de Bartok. No tengo idea si bien o mal, tampoco la habrá tenido el público de familias amigas, veracruzanas y oaxaqueñas, que hayan asistido.

Me voy a imaginar la muerte de María, de la que no sé nada factual: la pobre está muy lúcida de que se va. Su hija de su alma y su hermana se odian: ella escogió en favor de la hija, ¿pero qué va a ser de la hermana? ¿Y esas ancianas? ¿Va Lupita a poder mantenerlas? Y esa niña que ya es mujer, con ansias de mujer: ¿va a conservarse fiel a todo lo que ella le ha enseñado? El corazón, que tanto ardió en caridad, se le está rompiendo, textualmente, ya no puede hacer nada por los que ama. El contento que tanto llenó sus días se terminó desde la historia aquella del albañil: fue un ladrillazo en un frágil rinconero, lleno de objetos antiguos. Se le despedazó la esperanza, su amor es una herida horrible, ésa que le partió en dos la entraña vital.

¿Ya qué puede esperar?

De pronto, cuando más grave se siente, ya a punto de marcharse, tiene esa inspiración que le ha calmado el alma tanta veces: todo, todo, todo cuanto es la vida de sus seres queridos lo encomienda a Dios. Su fe continúa inconmovible. Se confiesa, recibe los óleos y le vuelve el contento santurrón a la cara, todo saldrá bien, todo está en manos de...

Se fue. Lupita queda ahí, llorando, con la bolsa de hule a un lado, los libros de música, el metrónomo, en la casita de cubos rojos irregulares que va a estar muy vacía.

En cuando a Lupe: marchó a Oaxaca. Ahí vivía sola, en un cuarto que se pegaba en una casa de huéspedes. Interior y mal ventilado, pues como ciega nadie pensaba en darle balcón a la calle. Y ella hubiera querido tal vez sentir espacio y aire, oler la lluvia, oír la gente y los automóviles. Olores de cocina, malas palabras y profanidades de los huéspedes estudiantes. Ningún alma caritativa la había recogido, pero ella tenía ahorros y con eso se mantuvo un breve tiempo. Luego, le pagaban eventualmente por tocar el órgano en una iglesia, y por cuidar enfermos, y por rezar en los velorios o dar algunas pocas clases de catecismo, pero como en la iglesia son gratis y más animadas, no era fácil que los niños quisieran con ella.

Así pasó casi quince años. En ese lapso mi mamá recibía cartas. Lupe sabía escribir a máquina bastante bien, al tacto naturalmente, pero había veces que ponía las manos en el renglón que no era y toda la carta llegaba en ruso, llena de signos de porcentaje, pesos, asteriscos, comillas, números y consonantes.

Su fe seguía intacta. Como siempre, parecía satisfecha más que contenta, orgullosa de la atención especial con que Dios le ponía pruebas que ella pasaba tan espléndidamente.

Entre tantos enfermos a los que iba a decir oraciones y beatitudes, una señora quedó especialmente agradecida y le tomó compasión, amistad. El marido era un hombre rico, dueño de hoteles. En uno de éstos, modesto, alojaron a Lupe, cuarto a la calle, dándole también los alimentos que ella ponderaba como exquisitos. Seguro estoy de que así eran: en Oaxaca se come muy bien.

La señora, su esposo y una hija viuda que con ellos vivía se aficionaron mucho a Lupe: iba a dirigirles el rosario cada ocho días, les platicaba, les daba consejos espirituales... Todo esto lo digo como ella lo contaba en sus cartas. Después, su protectora murió. Lupe tenía ya 73 años, y contaba la pérdida de ese apoyo con la más grande tranquilidad: Dios estaría premiando a la difunta y, además, no iba a abandonar a Lupe justamente ahora...

No: no lo hizo.

El viudo, de 81 años, decidió consumar un acto de caridad todavía mayor y su hija estuvo de acuerdo: pidió la mano a Lupe, para que así, casados, pudiera en verdad hacerse cargo de ella.

Lupe dudó: no sé si mucho o poco. Su confesor le aconsejó que aceptara inmediatamente. Ella lo obedeció, a condición de casarse de velo y corona, pues 73 años de virginidad la autorizaban plenamente a ello. El confesor concedió que era muy justo.

De velo y corona se casó, vi las fotos, su cara sonrosada sin una arruga, los ojos de vidrio azul bajo la corona de azahares y el velo. El novio, muy sólido, fuerte, con el pelo aun bastante negro, mucha sangre zapoteca.

La noticia salió en "Excélsior", primera plana de la sección B, 6 columnas con foto: "Ciega de 73 años que se casa con viudo de 81". Seguía la crónica de la boda, casi perfectamente seria, aunque el periodista hacía notar con énfasis el magnífico estado físico del novio, la intemporalidad de cera del rostro de la novia.

La ceremonia fue en Santo Domingo; tocó el órgano. El esplendor barroco policromado tuvo una equivalencia auditiva que Lupe sí podía disfrutar. ¿O quién sabe? Tal vez sus dones anormales de percepción la hacían sentir también la armonía de tanto enredijo en oro y en colores radiantes, esa genealogía milagrosa en los relieves de la entrada, esa complejidad visionaria del templo que, a fin de cuentas, pretende ser una transcripción coherente y armoniosa del orden de este universo.

(Lo pretende confusamente, la verdad: Santo Domingo, tal como era, fue arrasada por la Revolución; la hicieron caballeriza, quemaron santos, profanaron altares. Su orden actual es fruto de una lujosa reconstrucción hecha por gente bien intencionada, pero poco versada en iconografía: arquitectos, pintores, artesanos, decoradores y curas. Santo Domingo es ahora la imagen del Orden Divino según las buenas intenciones de muchas cabezas incapaces. O sea, sigue siendo trasunto fiel de nuestra realidad humana).

Un primo que fue a la boda me contó como, a la hora de los brindis, Lupita hablaba de la hermandad casta en que vivirían su esposo y ella, mientras él, ya con sus buenos mezcales adentro, comentaba esto con gestos maliciosos, daba codazos y se desbarataba en guiños francamente obscenos...

Vivieron juntos más de 15 años, murió él, Lupe quedó como heredera con la hija, dueñas ambas de varios hoteles, con una fortuna en efectivo, no sé qué otros negocios. Varios criados atendían a Lupe a su menor gesto; la hijastra era afectuosa, solícita, la trataba como si fuera de cristal, incluso le lavaba las manos y la peinaba por las mañanas. Juntas iban a misa y al rosario. Las cartas de Lupe llegaban pulcras y legibles, pues las dictaba a la hijastra.

Esas cuentas que Lupe estaba haciendo siempre con Dios, se saldaban en la manera más generosa posible: 73 años de penuria contra ¿cuántos? de opulencia, cuidados, seguridad... Y justamente, los difíciles años anteriores a la muerte.

Digo lo de muerte por decir: no sé realmente si murió. Mi mamá y ella fueron dejando de escribirse, espaciando las cartas cada vez más. Poco tenía ella que contar: la dicha y la paz no tienen eventos, llenaba el papel con santurronerías y consejos a los que poca respuesta podía darse. Si viviera Lupe, tendría unos 104, 108 años. No veo por qué no ha de estar viva.

Tampoco volví a saber de Lupita. No cultivó las amistades de su tiama. Al menos, no cultivó la nuestra. He pasado por la colonia Estrella. Los terrenos de girasoles, de matorrales, olorosos a yerbas, son apretujamiento de casitas modestas, deterioradas. Las calles arboladas, sí, aunque tristonas. Y no he visto aquella casa, tan original e improvisada, con sus enredaderas. Pero he olvidado la dirección y se han borrado los puntos de referencia.

De vivir Lupita, ahora tendría cerca de sesenta

años... Que pueden haber sido repetición de los de su tiama, ¿o?

Las invenciones de la vida van más allá de todo cuanto podamos suponer y no hay determinismo que no pueda romperse. En ese cuadro rígido que le fue concedido, parecen dar cierta esperanza aquella "Ondina" de Ravel y aquel Allegro Bárbaro de Bartok.

Enero 11/16, 1985

EL SOL

1

El Sol: que se lanzaba entre las ramas y las agujas y reventaba en fogonazos cada cierto número de pasos: así ocurre al caminar entre los pinos con la cara hacia arriba, como un juego: actitud estatuaria que corresponde a algún gesto no sabe uno de quién: las manos extendidas, los brazos extendidos y la cara hacia arriba y los rayos semioblicuos del sol y de repente: explosiones de luz, el sol desnudo por un segundo en los ojos y otra vez ramazones de agujas a contraluz, renegridas, y sigue en la actitud ficticia que imita ¿a quién? o más bien significa ¿qué?

Tiene 16, casi 17 años y no se pone a averiguar cuando juega: se entrega al juego cuando no lo ve nadie; lo mejor del juego: no hay palabras: sólo conductas, actitudes, o el compromiso de llegar a algún sitio en cierto tiempo, o a través de rutas muy peculiares, o como siendo cierto (incierto) personaje, o siendo el gesto o el trayecto de no se sabe quién ¿leído o recordado? Gesto, fuerza del hacer gestos. Ahora: cara en alto, no cerrar los ojos al fogonazo del sol: eso, no cerrarlos. Caminar pausadamente. Los brazos despegados. Dedos extendidos, tensos. Palmas hacia el frente. Después se sentó y empezó a comer sacando fruta y pan de la mochila. Luego escribió su nombre en una piedra, con el plumón: Mario Escudero. Luego trazó el contorno de un corazón ("¿por qué los pinta uno así? No son así, sería una bolsa oscura como coágulo, llena de tubos, con cierta sugerencia de consistencia horrorosa, bolsa potente capaz de succionar y expulsar sangre a toda hora, no que esto" y la imagen vagamente repulsiva del libro de anatomía, en color, venía evocada con el trazo, como la del hombre absolutamente desnudo desollado sin piel, los músculos a la vista, ojos redondos y sin párpados, o el sistema nervioso, o el aparato digestivo, debajo el esqueleto, esa armazón que uno puede palparse a través de la piel, la calavera dentro de la cara) y dentro del corazón puso sus iniciales, ME, después con cierta vacilación las otras, HN, y el corazón empezó a moverse muy perceptiblemente, a succionar y expeler sangre a toda prisa, el corazón oculto, el suyo, mientras el otro falso de trazo convencional permanecía allí a la intemperie, atravesado por una flecha, tatuado de iniciales herméticas, presto a que pronto lluvia y luz de sol lo borren, lo desvanezcan para siempre.

Después: allá abajo está el pueblo. Viendo así, desde aquí, bocabajo en la roca saliente, uno casi no es uno: los panoramas lo han fundido y uno sería totalmente el panorama si no estuviera masticando el pan con queso, si no pensara de repente, sin razón, en Hortensia, y viene una erección y ya no importa el panorama, rápido hay que pensar en —allá abajo está el pueblo, tejaditos, árboles en los patios, iglesia con mosaicos amarillentos espejeando en la cúpula. Tierra, polvo. Ralo verdor y aun ése poco franco, como si el polvo

fuera a tragarlo en cualquier momento. Más bien triste. Lo bueno que aquí los cerros sí están llenos de pinos y huele a pinos. Una voz le salió cantando quedito, se quedó oyéndola porque era como independiente
a su albedrío: una pura voluntad de música brotando
a través de su garganta: en forma inadecuada, en un
hilito inseguro y medio destemplado, desparramado
como una nadita polvorienta en ese ámbito suspendi-
do en la claridad, y el pueblo y el cerro y él mismo
bocabajo en la roca y la roca y el cielo mismo contaban menos, eran las partes medio disueltas de un todo
activo, deliberado que iba expandiéndose: la luz.

Es una casa grande y con pocos muebles. Aquí en el
comedor, por ejemplo, hay un enorme aparador carga-
do de relieves, copeteado de frutas y guirnaldas de
cedro, con el barniz opaco y cagarrutas de polilla;
adentro guarda trastos de peltre y de porcelana, cu-
charas de madera, ollitas de barro. La mesa es tosca
y larga, las sillas no hacen juego. Cuelga un foco desnudo: por las noches da una luz rala y rojiza, como flama de quinqué. En las recámaras hay catres con sábanas muy limpias y luidas, bacinillas en el buró, cuando hay buró, si no bajo el mismo catre. Celia sí duerme en cama, de latón algo desvencijada, y Jorge su
marido duerme en la pieza de junto, en un catre. Aunque a veces, si llega la familia completa, duermen los
dos en la misma cama. Y dicen siempre es mucha
bondad dejarnos vivir aquí, vender los frutos de la
huerta, criar gallinas y tener la tiendita en lo que fue
la cochera. Pero no es tanta bondad: cuidan la casa, la
salvan de la ruina y de los ladrones, y los padres de

Mario (son los dueños) pueden mandar a los dos niños, Mario y Ricardo, a que pasen las vacaciones, aunque ya no son niños y Ricardo cumplió los 20 años.

En la mesa, Juana se puso a contar cosas del ermitaño. Ya perdió cuenta de cuando llegó, pero hace ya bastante y ha de estar muy viejo. No se habla mucho de él, como no se habla de los cerros (están allí presentes, la costumbre los vuelve marginales hasta que un deslave o un algo extraordinario nos hace prestarles verdadera atención). En un principio las gentes lo buscaban, para pedirle milagros. Los recibía de mala gana, cuando ya no podía evitarlo, él nada tenía que ver con esas cosas decía. Le pedían que al menos rezara por ellos y él les pedía que ellos rezaran por él. Después, subía a esconderse más arriba, o cambiaba de sitio, ya no se le podía ver fácilmente por algún tiempo. Llegaron a atribuirle escasos milagros, muy discutidos pues todos tenían cara evidente de hechos naturales. Aunque los hechos naturales en sí, son tan extraordinariamente milagrosos... Cuando estaba recién llegado un pastor se lo halló una vez, medio muerto de hambre. Y desde entonces, de tiempo en tiempo, se le deja comida donde pueda encontrarla, pero también él sabe ahora buscar panales, y qué yerbas son buenas, o dónde hay fruta. Podría vivir mejor, pero luego le dejan quesos, carne salada, cosas buenas y aparecen a las semanas en el mismo lugar, llenas de hormigas, él no ha pasado por allí. Qué desperdicio. O van niños y se las roban, aunque eso casi nunca. O las recoge, y se las come frescas o podridas, dicen que le da igual, pero al cabo del tiempo no se sabe ya nada y piensa uno se fue o se murió, y después aparece, lo ve un pastor, lo ven excursionistas de esos que vienen desde México. La gente lo querría, le pondría veladoras o irían en procesión a visitarlo si se le viera más seguido. También le darían más cosas de comer, o más ropa, si hiciera falta. Pero cómo sabe uno. De todos modos tiene fama de santo (también de loco, también de vago) y siempre da gusto tenerlo aquí tan cerca, en este pueblo en que nunca sucede nada vale la pena tener algo del otro mundo.

—Hortensia, Hortensia.

—No me gusta mi nombre.

—Es precioso.

—Hortensia, Tencha. Es feo.

—Tencha no. Hortensia. Es una flor. ¡Ésta!

—Ésa tan descolorida. Ni es una flor: son muchas, chicas.

—Descolorida ésta, porque le falta... le faltan cosas a la tierra.

—Descoloridas, sin chiste las hortensias. Fueran como las dalias...

Eso entre las macetas de Celia, mientras Hortensia limpia las jaulas.

Otro día:

—¿Sabes con qué? Con sulfato de cobre. Las pone de un azul bárbaro. También las pone solferinas, o más bien de un rosa muy subido, el sulfato de cobre a las hortensias.

—Eso es veneno.

—Así son. Será veneno pero las pone así.

Con la cara pegada al alambrado del gallinero, marcándosele en la frente. Ella no le hace caso, o así parece al menos, toda su atención está en tirar con equidad las sobras de comida a ese alboroto enfebrecido de plumas y cacareos que la rodea, plumas blancas y gris de perla y negras y doradas, pintas, rojizas, y ella entre el ventarrón de los aletazos, hablando a gritos.

Luego:

—A mí me habría gustado más Patricia... O Fanny. O... Eneida.

—Ése es un libro, no es nombre de persona.

—Una amiguita mía se llamó así. Se murió.

—Tu nombre es más bonito.

—Siquiera no es Liboria, como mi hermana.

Que es golpeada a veces por Efraín, cuando llega borracho, y se ha vuelto flaca y rencorosa. De tiempo en tiempo pide a Celia que reciba a la ahijada y por eso está Hortensia viviendo temporadas con los tres viejos, Juana, Celia y Jorge. Luego regresa con la hermana, viene Efraín por ella, muy limpio y serio, dando muchas disculpan por las molestias que la muchacha haya causado. Celia lo compadece entonces, porque así son los hombres, les da a veces por el trago y se ponen muy necios y violentos. Pero se les pasa. Como a Efraín: una vez dio dos puñaladas a alguien en la cantina, pero no ha vuelto a hacerlo. O no ha vuelto a saberse. Y deja de tomar y vuelve a ser el mismo, serio y un poco triste, con sus ojos hermosos, húmedos y brillantes pero tan varoniles con la nariz bien hecha y afilada, sólo los dientes feos en un rostro algo estropeado y memorable. O así lo miran Juana y Celia. Y Liboria. Que no ha tenido hijos.

En el mercado venden yerbas, semillas, trastos de barro poco bellos traídos de un pueblo cerca. Y tequezquite, el recurso mayor del pueblo: un salitre arenoso que tiene varios usos, desde ablandar la carne recia hasta limpiar los trastos percudidos. Por eso hay muchas cuevas, luego se derrumban y se hacen otras, el pueblo vive (sobrevive más bien) del tequezquite, lo mandan a otros pueblos, lo cambian por manta, por los trastos de barro algo mal hechos, por paliacates y verduras, por semillas tostadas que aquí sirven de golosina más que en las otras partes, pues aquí no hay casi golosinas. Antes vendían ocote, y antes madera y muebles toscos, pero la tala está prohibida y aún así llegó tarde el veto, a juzgar por los cerros desnudos y erosionados, por los campos pajizos y polvorientos, por la resequedad del aire, por los días de mercado medianamente concurridos, con productos pobres y escasos, en que de trecho en trecho se repiten los montones de tequezquite como la imagen más constante y más frecuente, más que los paliacates o las pailas de chicharrón, o las cintas multicolores, o los rebozos o los polvosos puestos de frutas algo marchitas: el tequezquite.

Ella estaba sentada en el brocal del pozo y se trenzaba el pelo, lo tiene muy largo y denso, y había palomas revoloteando y el trinar de canarios y cenzontles. Y la luz restallando al menor pretexto: relámpagos en un grano de arena, medio sol en el trozo de vidrio, todo el sol tembloroso en cualquier palangana con agua.

Él quería decir algo, pues estaban muy cerca y el cuerpo de ella parecía irradiar fuerzas, como un imán,

73

y el aire entero transmitía signos, de piel a piel. Él no lo comprendía. La boca seca, eso era como el miedo, un temblor que es necesario disimular, mejor me alejo un poco a hacer algo, el silencio también pesaba con exigencias propias. Se puso a cortar flores al azar, ella lo vio sin curiosidad juntar corolas chicas, mercadelas, margaritas, geranios, y recibió el ramito mientras de nuevo él se sentaba junto a ella.

—¿Me las pongo?

—Sí.

Se las puso en las trenzas, con cuidado: era mejor que una postal, ella así, trinos, palomas, Mario contenía la respiración abarcando el conjunto, ella se pone flores en las trenzas, viéndolo de reojo.

—¿Ya? —preguntó ella por fin.

él dijo:

—Ya.

Y la besó. En la boca.

Juana iba a comentar algo de la tarde: se quedó viéndolos desde atrás de las macetas: juntos, boca con boca, él frotaba los labios en los de ella y después la apretaba, estaba tenso, torpe, intenso. Ella lo rechazó por fin, respiró:

—Me ahogas.

Juana no lo oyó murmurar "perdóname" pero advirtió el temblor que lo sacudía. Se volvió a la cocina, muy perturbada.

Él siguió murmurando cosas y Hortensia parecía no entenderlas pues le dijo:

—Anda. Va a venir alguien. Párate mejor. Hazte para allá, lejos.

Él obedeció, muy trastornado. No se atrevía a verla

74

a los ojos: tenía vergüenza de estar trémulo, de sus gestos, se intuía torpe. Tenía vergüenza y arrebato y exaltación y desconsuelo, vacío, tinieblas. Y esa pasividad de ella: incomprensible como un abismo, como una gruta. Murmuró:

—Que vengan.

Ella le dijo:

—Voy a mi cuarto.

Él asintió. Había hablado el abismo, algo horroroso, una sentencia, un trueno. Pero el abismo dijo entonces.

—Luego voy a volver aquí, para limpiar las jaulas. No te vayas.

Y le sonrió, mirando al suelo.

Y él asintió varias veces y habría podido dar gritos porque la gruta resplandecía con lunas dentro, con astros, con milagros.

En la noche los viejos hacen cosas opacas y somnolientas, como ensayando a afantasmarse. Juana da vueltas por la casa, con el pelo grisáceo destrenzado, se porta como si en cada cuarto hubiera olvidado hacer algo y al ir a hacerlo se olvidara otra vez. Jorge lee periódicos de los que compra por kilo, para envolver, en la tienda; son de hace un año, de hace tres días, de hace dos meses: le da igual. Los lee hoja por hoja, como si el texto fuera continuo, una sola noticia, y sin hacer caso a las advertencias de "pasa a la página tal". Celia se sienta en un sillón y desde allí reza, entreverando el Padre Nuestro con quejas sin patetismo al aire, con comentarios a algún suceso y con recuerdos en voz alta. Parece la más vieja de los tres, es hermana de Juana pero a ella sí se le dice "tía", por ser mujer de Jorge, tío abuelo "de mi papá, tío bisabuelo mío si es que eso quiere decir algo", piensa Mario. Y Juana es Juana a secas y se le habla de tú.

Se oye un reloj dar las horas: nunca coinciden las campanadas con la carátula; cuelga en el comedor, de una pared bien agrietada; muy laboriosamente Jorge le da cuerda noche a noche, subido en una silla de patas flojas, y Celia jura vas a matarte por hacer eso.

Y si uno se ha acostado temprano, puede ocurrir que Juana entre y le dé un buen susto, encendiendo de pronto la luz y viendo en torno. Mario se sienta entonces en la cama, con expresión adormilada de alarma, y ella murmura confusamente "fíjate que pensaba... yo creo que... duérmete" y apaga y permanece allí un momento y luego sale.

Pero generalmente Mario lee también los periódicos viejos, resuelve crucigramas, no los termina por no saber dos o tres palabras, se aburre, lee historias dominicales o fragmentos de algún crimen de barrio, o trozos de hecatombe mundial, y él sí trata de pasar a la página 5 columna 3 pero se halla con que ésa ya sirvió para envolver arroz o huevos.

Los cuartos son contiguos. Los separan puertas templeques con vidrios rotos, y en cada cuarto se escuchan los suspiros, los ronquidos, los sueños en voz alta, los movimientos de los cuerpos cambiando de posición. No le incomodan a Mario, esos ruidos nocturnos más cercanos son parte de un ambiente que viene desde muy lejos, como en olas, desde el viento en los árboles en los cerros, desde los grillos y las chicharras, desde los perros en cadena de ladridos hasta el chorrito continuo en la caja del excusado, hasta los rechinidos de los catres y las respiraciones.

Hortensia duerme en la trastienda. No puede oírsela, no se sabe si habla entre dos sueños, o si suspira, o si vela o si duerme en silencio.

A ciertas horas de la mañana se desploma el sol; de la ventana de vidrios transparentes baja una forma rígida diagonalmente al suelo, con sus lados y aristas, casi como un volumen, pero imposible tal error, ese caos expansivo de polvillo vertiginoso parece menos sólido que el aire oscuro en torno, parece una violenta perforación al aire y en ese hueco vemos su verdadera, secreta esencia. En derredor las bancas, algo escasas, de madera pintada de oscuro, las imágenes demasiado convencionales, desposeídas de sentimiento religioso por la sobreactuación que el yesero les impuso; y sin embargo, un hombre sucio y medio borracho dice incoherencias ásperas entre sollozos y besa la orla del manto morado de Cristo, ofreciéndole cosas confusamente tentadoras:

—Tú has que lo logre y ya verás, ya verás. Yo cumplo cuando prometo y te estoy prometiendo. Tú no te vas a arrepentir.

Mario quisiera oír mejor, pero un renuente pudor venció al fin todas sus curiosidades. Se echó en la frente agua bendita, salió despacio, aguzando las orejas y fingiendo para nadie que tenía la atención en el confesionario vacío, en los viacrucis de madera pintada colgados muy arriba de la pared.

En el atrio, colgado en venta en un puestecito, se encontró Mario su corazón. El sol le saca chispas a la plata y hay exvotos, *milagros*, en venta: brazos, ojos, piernas, niños, y entre muchos corazones pequeños está muy grande y atravesado por un puñal el corazón de Mario, le faltan solamente las iniciales, ME y las otras, HN. Mario compró su corazón; dudó por un momento si ofrendarlo a la Virgen o llevárselo a Hortensia: lo llevó para Hortensia, naturalmente.

Ese día antes, mucho más tarde, ella había vuelto a salir y se había puesto a limpiar las jaulas. Mario hacía gestos de ayudarla, poco eficaces. Pero en cambio, le murmuró con incoherencia varias proposiciones: de ahora en adelante él se vendría a vivir aquí, a quedarse, para verla siempre; si ella no quería, no volvería a besarla, y le pidió perdón por haberse atrevido; la de ser, la de hacer lo que ella se propusiera; la de nunca dejar de —(la última palabra no salió del fondo de la garganta).

Ella no parecía escucharlo y parecía escucharlo intensamente. Cambiaba el agua de los trastos, ponía el alpiste, restregada los fondos llenos de cagarrutas y de pronto miraba a Mario de reojo. Luego dijo que qué chiste vivir en este pueblo tan feo, tan pobre que aquí sólo hay el tequezquite, tan sin chiste todo de día y de noche, tan sin chiste. Tan bonito en cambio vivir en México y en esa casa tan bonita de Narvarte, ¿todavía viven allí, verdad? Eso sí ha de ser bonito, vivir allí, ser muy feliz allí con el ajuar pullman pasado de moda y la televisión por la noche las ventanas coloniales californianas la chimenea con leños eléctricos fundidos desde el invierno pasado pero Ricardo les puso un foco y celofán rojo y así ya no dan calor pero se ven bonito los perritos chihuahueños la escalera de már-

mol artificial le quitaron el mantón del barandal estaba echándose a perder aunque es de seda pura y el
sarape como un arco iris destemplado sobre el sofá.
Mario acepta su casa tal como acepta el rostro de sus
padres: es eso, así, desde siempre. Pero en el ronroneo
goloso y breve con que la evoca Hortensia hay algo
que la convierte en magia, o en belleza, o en erotismo,
o en —

Él por supuesto tenía llave de la casa: si no quería leer
periódicos sin época precisa ni ver errar a Juana, ni
oír los peculiares diálogos ¿unilaterales? de Celia con
el Señor y sus santos, podía salir a caminar por las calles. En las que no hay nada. Salvo ladridos, viento
sombroso, focos de luz temblona movidos por el aire,
sombras muy sólidas movidas por el aire, que viene
frío desde los pinos (¿tendrá cobijas el ermitaño?),
desde los cerros, desde sus cuevas salitrosas, desde las
minas de tequezquite. (No sé bien donde vive, si en
una cueva o en una choza.) Se ve pasar a los borra-
chos("no te les acerques, hijo, son peligrosos") como
ése allá, está viendo tan fijamente a Mario, parado en
un umbral, mirándolo sin verlo, y un destello movible
de los focos revela en la mano un cuchillo desnudo.
Mario, sobresaltado, va a regresarse, pero se detiene,
se desafía a sí mismo: va a pasar junto a él. Y más
aún: va a pasar y va a darle las buenas noches: se lo
promete, luego vacila un poco pero avanza por fin,
despacio, hacia el borracho torvo (en esas sombras es
una especie de potencia encarnada, ¿la Muerte?, ¿la
Violencia? Así son de quietas e imprevisibles, ¿cómo
irán a portarse cuando les demos las buenas noches?)

con el saludo a flor de labio. Ya va a llegar y el otro escupe un chisguete fulminante: se clava como un dardo en el polvo. Mario ha llegado y murmura con voz casi serena y mucho muy rápida:

—Buenas noches, hace frío ¿no?

El otro ha movido solamente los ojos, la cobija le cuelga como una capa, los brazos le cuelgan aunque estén tensos y el cuchillo desnudo brilla al capricho del viento y del foco de la esquina. Tras una pausa leve que pareció muy larga el borracho responde: y propone suavemente:

—¿Quiere usted que le raje la madre?

—No, gracias —murmura Mario con voz casi serena aunque muchísimo más rápida.

Y se sigue de frente sin alterar el ritmo de su paso, hasta dar vuelta a la esquina, y allí lo invade el júbilo mientras camina de regreso a la casa, un júbilo de triunfo sin causa muy explícita, triunfo con risa (triunfar puede ser cómico) y el breve diálogo parece una victoria sobre sí mismo y, en cierto modo tal vez, sobre aquella potencia y su oferta estúpida. Aunque a esa oferta, ¿no es increíble?, hay quien conteste: "sí, nos la rajamos".

2

Están casi de una estatura pero Ricardo tiene más cuerpo. Está más hecho. Su pantalón se ve muy lleno, tiene los muslos fuertes; sobre el rostro de Mario un velo suaviza las facciones, Ricardo es más preciso y en dos días de intemperie el sol lo ha requemado, le da un color atlético. Mario recibe el sol y nada muy notable sucede con su piel, tarda mucho en tostarse, absorbe el sol y lo convierte en vitalidad pero no le luce en la cara. También Ricardo es más divertido, más travieso también, piensan los viejos. Les gusta oírlo hablar de la casa, de México, pone alegría y contento en descripciones de un mundo que a los viejos no les toca de nada y se los hace inteligible, medianamente atractivo y memorable, les provoca sonrisas con historias de escuela, de muchachos, y los tres comentan después volviéndolas confusas y quedándose llenos de preguntas que no se presentaron al momento de oír.

Pusieron a los dos en el mismo cuarto. Mario no protestó pero hubiera querido seguir solo. Hay tantos cuartos, ¿para qué conmigo? No le divierten las pláticas del hermano, él sí distingue cuando exagera o adorna o miente y eso mata el efecto de los relatos, o vuelve la diversión de oírlos otra secreta y muy poco sana. Y a Ricardo le gusta hablar, le gusta oírse. Mario finge dormir entonces, y se duerme mientras el otro lee revistas de cuentos fotográficos.

Abajo el pueblo: la iglesia echada entre las casas pequeñas, con su brillito de los mosaicos en la cúpula. Ricardo canta a voz en cuello y hace modulaciones a la moda y gestos de la televisión: no le salen mal. Disfruta siendo galán con éxito y luego pregunta:

—¿Arroz? —para que Mario no piense que se toma muy en serio.

Mario le cuenta del ermitaño.

—No ha de ser cierto.

—Sí es. Yo he visto cómo le dejan comida.

—¡Vamos a buscarlo!

—¿Para qué? —Con alarma, con escándalo.

—A ver qué payasadas son ésas.

—*No son payasadas*.

—Pues a ver si dice la suerte. O a ver cómo es.

Mario se niega, y hace un gesto evasivo ante la idea.

—Le tienes miedo.

No contesta. (¿Miedo? No. Pero ha de ser horrible. Como un —Mejor no pensar en él.) Comen sus tortas, callan. Se ha menguado la hostilidad que suelen tenerse en México; esa borrosa admiración de Mario por el hermano (admiración con filitos de desprecio) (admiración por los resultados, desprecio por los medios) toma tintes de gusto por su presencia. Lo ha traído a los sitios favoritos, a la piedra con panorama sobre el pueblo, a los senderos entre pinos, y atrás también, a la bajada a pico, practicable sin embargo, que conduce hasta el lago.

Allá está el pueblo. Y ahora Ricardo descifra algo en

la piedra y a Mario le late frenéticamente el corazón y tiene toda la sangre en la cara, ve para otro lado (deseo intenso de que nada se lea, deseo intenso de que el secreto deje de serlo, de que el hermano *sepa*, de compartir y de ocultar, por un instante sólo un deseo violento con dos polos opuestos) hasta la risita corta y bárbara, indicadora de que los trazos no estaban desvanecidos: Ricardo entendió y ha descubierto el corazón de Mario.

—Hortensia está muy buena —comenta.

Mario no dice nada, sólo aprieta los dientes. Y Ricardo lo observa. Extrañamente, tiene el tacto de callar.

Comen en silencio.

Luego regresan. Ricardo canta otra vez.

Ahora los dos la ven limpiar las jaulas. Ella se ríe como loca mientras Ricardo cuenta una película. A Mario no le hace gracia. Juana viene y se sienta con ellos, se pone parsimoniosamente unos lentes que no le recetó nadie pero la hacen ver mejor, y pregunta:

—No oí como empezó, ¿cómo empezó?

Hortensia acepta oír todo otra vez y Ricardo principia de nuevo mientras Mario se aleja sin decir nada, pensando no es odio este frío desconsolado (desde el centro del cuerpo se extiende allá adentro como una radiación polar), no es por Ricardo: es algo contra sí mismo, algo violento, lo hace apretar los dientes o le da ganas de llorar y llorar, pero se las aguanta. Se va a las calles, a ver la iglesia (no entra), al cerro. Allí se queda entre los pinos, viendo al cielo, viendo pardear las nubes, viendo como enrojecen y hacen gestos, nubes pausadas, nubes solemnes, que se vuelven cigüeñas, o veleros, o ángeles.

El miércoles fueron al cine: los convenció Ricardo. Mario no quiso ver las tres películas y se quedó en la casa, pero advirtiéndoles: me apartan mi lugar, yo voy después.

Jorge cerró la tienda, Celia y Juana dieron mil vueltas por la casa, se llenaron de chales y llevaron en una bolsa tortas y refrescos, como si fuera un día de campo, noche de campo más bien, noche de cine, y hacían cuentas de los ¿seis u ocho años? ¿O más? que no asistían al espectáculo. A las dos cuadras Celia se regresó porque iba en chanclas; todos volvieron a la casa y la vieron ponerse muy trabajosamente los zapatos ("tengo los pies hinchados, no me entran, no me entran") mientras Hortensia soltaba risitas nerviosas y Jorge y Juana se impacientaban. Se fueron de nuevo al fin, la caravana, y Mario salió a sentarse en el brocal del pozo, para hacer tiempo. El patio solo y enrojeciendo siempre es mejor que historias falsamente rurales atiborradas de canciones. Mejor aquí. Oyendo las palomas. Aquí se sienta Hortensia.

El cine es un galerón largo sin declive, con la pantalla chica y en alto, un poquito arrugada. No está muy lleno pero flota un olor dulzón y rancio, a desinfectante; las voces y la música llegan con un estruendo algo viciado; en las bancas las familias se sientan en grupitos y hay también hombres solitarios: se extienden con los codos sobre el respaldo y las piernas abiertas y estiradas, la cara alzada y el sombrero de paja sobre la frente.

Encontró al fin a su familia, iba a sentarse junto a Jorge pero Ricardo dijo con naturalidad:

—Pásate para acá, junto a Hortensia.

Y Mario obedeció, desbordando gratitud y nerviosismo brincó sobre los viejos, sobre Ricardo: ella quedó entre los dos hermanos y murmuró al menor:

—Las otras dos películas estaban muy preciosas. Ya ves, te las perdiste.

Mario, en un impulso, la tomó de la mano: ella lo dejó hacer e incluso apretó los dedos en torno a los de él: una erección furiosa lo dejó ensordecido, ciego, incapaz de otra cosa que de sentir la mano ajena vuelta suya, y esa especie de radiación emitida por el muslo de ella, tan cercano, y el olor de su cuerpo, de sus axilas, por el encierro cálido y emotivo. El latido del pulso, apretar la yema de los dedos y deslizar los suyos por la palma de ella. Como una borrachera, mientras en la pantalla los dos recién casados bailaban solos y bebían lacrimosamente en la fiesta nupcial desierta. Pero el tacto, la piel, el olor, la cercanía, volviendo confusión todo aquello. La soltó al fin, no podía más, eran impulsos de retorcerse, iba a gemir, venció la tentación inmensa de apretar esa mano entre sus piernas, la soltó en cambio y se encogió, se apretó con sus propias manos y se alejó de ella mientras sentía salir dando latidos esa imperiosa esencia que le encharcaba la ropa mientras se resecaba su garganta y parecían arder sus ojos fuertemente cerrados.

Con dos suspiros involuntarios volvió a ver la película. Estaba en llamas, una vergüenza tan espesa como el líquido pegajoso enfriándose en su muslo le daba impulsos de huir. Ya no quería saber de amantes perseguidos pero ahí estaban escapándose en la carreta y allí venían los enemigos, había un duelo bajo un gran cielo renegrido y el rebozo muy blanco de ella, la balacera, los caballos enloquecidos relinchando y huyendo, ya venía la palabra fin: "me van a ver las manchas, van a fijarse, van a encender las luces".

No hubo intermedio: empezó la repetición de otra película y así a oscuras salieron a las calles oscuras; nadie advirtió que Mario se rezagaba o se adelantaba y que no compartía los entusiastas comentarios del grupo. En un momento, Hortensia se retrasó con él. Y le tomó la mano. *Ella, se la tomó.* Y murmuró quedito:

—Dice Ricardo que tal vez podría irme a tu casa. Como criada. Sería muy bueno, ¿verdad?

Y él asintió con una mezcla de horror y de increíble alegría. Esa profanación de que ella fuera como criada quería decir, al mismo tiempo: ella estaría allí cerca todo el día. Y toda la noche.

Asintió lentamente, sin saber qué pesaba más, tardando un poco en atreverse a decir:

—Sí. Sería muy bueno.

Porque después podría casarme. Porque después podría... No era cierto. El sueño no venía a fondo: imágenes y deseos. Pero eso de casarme con ella no era cierto. En cambio estaba la visión de Hortensia tendiendo mi cama y no hay nadie en la casa, puedo caer sobre ella. Hay la escalera del cuarto de servicio tal vez pueda subirse de puntitas sin hacer ruido. Hay profanaciones. De todas clases, la duermevela atormentada, los ronquidos tranquilos, casi aterciopelados de Ricardo.

Vueltas, más vueltas. Jamás había advertido que este catre fuera tan duro.

Pesadillas confusas.

La escalera de fierro al cuarto de servicio.

Luego empezaron los gallos a cantar exorcismos y vino el sueño verdadero, profundo.

—Qué venidota, hermano.

Ricardo tenía en las manos el pantalón y el calzoncillo y se reía mostrándolos a Mario.

—Le estuviste metiendo mano a Hortensia.

Se acostó bocabajo, con la cara escondida en la almohada para ocultar la confusión que el tono del hermano le producía.

"No hables así de Ella", ésa era la reacción, la más violenta y auténtica, la más contra los cánones sociales y familiares y escolares. Esa conciencia de estar fuera de los contextos, de sentir diferente. Ricardo está en su sitio y está diciendo lo adecuado.

—No le metí mano —murmuró al fin.

Tibia sinceridad, tibia disculpa emitida en palabras prestadas por el otro, él habla tan bien ese idioma del clan, del mundo, uno puede aprender imitándolo.

—¿Y esto? No te habré visto en el cine.

—La agarré de la mano... Y me sucedió.

—¿Nada más le agarraste la mano? Carajo, si le has agarrado el mono...

—Cállate.

Fue una orden. La cara escondida en la almohada y el otro viéndolo, con los calzoncillos desplegados. En el silencio Mario sintió que había ganado. Alzó la cara: Ricardo estaba serio y la ropa en la silla, y ahora bajó la vista y fingió amarrarse los zapatos.

—Hay que desayunar, ¿no?

Mario asintió. Ricardo, serio, le guiñó un ojo, le hizo una mueca sabia, y Mario respondió el guiño y la mueca sin saber bien su significado. Pero creaban una impresión de acuerdo tácito, más profundo que la simple fraternidad: como si ambos fueran a hablar ahora el idioma del mundo y fueran a entenderse.

—Préstame tu chamarra —pidió Mario levantándose.

Nunca se habría atrevido antes: la chamarra de cuero negro con apariencia de leyenda, de reto, con sólo ponérnosla sentimos que se endurecen los músculos.

El otro se la tiró sin decir nada.

Mario desayunó con la chamarra puesta y él y Ricardo hablaron el lenguaje clan y Mario supo reírse con un sonido áspero y algo bárbaro cuando Ricardo dijo albures que excluían a los otros, pues nada más ellos dos los entendían.

Luego, en la piedra que ve al pueblo, Ricardo habló de mujeres. Por alguna razón Mario ha perdido la sensibilidad a la mentira, al adorno, a la exageración. Se ríe tanto como Celia, o Juana, o Jorge. Se ha vuelto, también él, un público ideal. No salió a flote nunca el nombre de Hortensia, pero su imagen medio velada flotaba en los consejos de Ricardo sobre cómo tratar a las hembras.

En la tarde, Mario regresó solo. Se tiró bocabajo a ver el pueblo y recordó de pronto su corazón de plata y la cara de Hortensia cuando lo recibió: estaba en la cocina. Mario se había esperado a que Juana saliera, entró de pronto y dijo:

—Ten. Para ti.

—¿Qué es esto?

—Si no lo quieres lo echo a la lumbre.

—¡No! —Y lo apretó contra el pecho, protegiéndolo del fuego, aceptándolo—. Esto es como de iglesia, es para dárselo a los santos.

Él asintió, serio. Ella besó entonces el corazón y se lo escondió entre la ropa, pues oyeron venir a Juana.

Pero ahora ya no pensaba en ella así. Porque ahora en la mañana, esas lecciones de Ricardo

por el deseo rabioso desde ayer

porque en el cine

porque ya no soy el mismo. Y lo más alarmante: ella estaba dejando de ser la misma. Una ¿degradación? "de mí mismo". No, De lo que siento por ella. No. De ella. No, no es degradación. ¿No es? ¿Es... cambio? Y esta vergüenza de haber reído tanto (y ficticiamente) con las necedades y las mentiras de Ricardo. Con las vilezas de Ricardo ("¿Vilezas?" No, vilezas no. ¿O sí? ¿Vilezas?)

Estaba solo y desnudo allí, de pronto, sobre la piedra, solo y contaminado y desnudo, y un cortejo inmenso en derredor observaba hasta la última de sus deformidades. Entonces quiso pedir perdón y ya no había nadie, pero tampoco había encanto en los árboles ni en el cielo vacío. Y ese pueblo polvoso y pobre de allá abajo, ¿con qué tenía que ver? Empezaron a escurrirle las lágrimas y deseó decidir algo drástico, volver atrás, pero no sabía cómo, ni hay ya regreso cuando el mundo y la gente han cambiado ante nuestros ojos (cuando ya hemos cambiado): sólo queda seguir de frente, escoger entre las versiones del Universo que se pliegan y se despliegan frente a nosotros, como abanicos. Eso pensó casi, sin ponerlo en palabras. Hortensia ya era otra ¿y él, Mario? ¿Otro? Se quitó la chamarra negra. Con ella al hombro caminó de regreso a la casa.

Abajo el pueblo. Se quitó la camisa por sentir bien el sol. Se acostó bocarriba en la piedra. No podía ver el cielo: demasiado deslumbrante. Veía el fulgor anaranjado de sus propios párpados. Quería pensar en todo: en la imprevista intimidad con Ricardo, en esa nueva Hortensia, tan al alcance de la mano, tan distinta a la Hortensia de días atrás. ¿Era mejor la nueva? Era *otra* sencillamente. La nueva nació ¿cuándo? ¿El miércoles, en el cine? ¿O ayer, en los consejos de Ricardo? Hoy es viernes y Mario no las distingue, no sabe lo que sucede, por qué son dos, por qué la nueva parece en cierto modo poca cosa, por qué es tan ofensivo llevársela de criada. "No hay trabajo humillante; la humildad es virtud; ella pide un trabajo humilde: ¿entonces?" Algo habla en él: no sabe formular cosas, pero sí sabe eso que Mario no ha entendido. Sin embargo, olía a pino seco, corría en la piel el aire. Se iba dejando de pensar cada vez más.

Luego, en el resplandor naranja, surgió un puntito azul, una gota más bien ¿o más bien una flama? y lo observó acercarse y crecer. Ahora estaba muy cerca y adentro traía un signo, adentro se empezaba a ver algo. Abrió los ojos: como si aquella gota de azul intenso le hubiera dado un sobresalto. Y vio el sol. Y deslumbrado se incorporó y vio los pinos con manchas que parpadeaban, verdes y rojas, y entre las manchas seguía la gota azul flotando, podría decir un globo si la idea de volumen no fuera contradictoria con la figura luminosa, menos sólida que el aire en que flotaba o que las manchas de su deslumbramiento. Entre las cuales la flama azul, el globo, la gota azul flotaba más —cerró los ojos: ahora se había acercado más brillante. Abrió los ojos: y la tenía ante ellos. Y los cerró de nuevo tendiéndose de espaldas, inundado de sol, con el campo naranja resplandeciente ilimitado ante su vista. Abrió los ojos: y el sol de mediodía había bajado hasta el borde de los cerros como si hubiera dado un salto brusco. Esto no parecía algo extraño, me habré dormido probablemente pero no llegó siquiera a considerarlo: de repente supo: entendió. Demasiado de pronto: se quedó viendo el ritmo de los pinos y entre ese ritmo el de las agujas y la armonía total de los dos ritmos y entendió al sol en el borde de los cerros y vio la relación entre el ritmo de la rodaja incandescente que se iba hundiendo y el de los pinos y el de las ramas y el de las agujas de los pinos. Y entendió el gesto de las nubes deshilachadas y su contexto con el ritmo de los pinos, de cada aguja de los pinos, y entendió el gesto que estaba haciendo con las manos y no había visto nunca las estrellas brillando de esa manera tan expansiva chisporroteando con esos círculos y esos halos y esas madejas esos hilillos que iban vibrando y se entretejían de árbol en árbol, como las ondas de las antenas como una inmensa tela de seda desbaratándose o expandiéndose o entretejiéndose aunque el sonido no era de seda sino de vidrio vibrando en hojas o de campanas de oro minúsculas o serruchos vibrando o instrumentos muy lejos todo como si lo emitiera la luna a medio cielo mientras iba bajando para esconderse tras de los cerros una rodaja enrojecida llena de signos dentro enredada en sus halos neblinosos nubes tramándose y las estrellas van fundiéndose en el cielo y entre la música y desde el pueblo cantos de gallos y la conciencia de que estaba empezando a correr el tiempo, la idea de secarse los hilos de lágrimas le corrían por la cara, "no quiero volver" murmuró, pero entendió, *debía* volver y entendió al recordar y recordó la gente como un tumulto (la población del mundo) era él, no tenía mucho caso destacar rostros pero ahí estaban familia compañeros de escuela eran él y Ricardo y Hortensia eran los compañeros él y todos eran todos y él —él sobre todo era Hortensia y Ricardo y se detuvo allí con ellos y empezó la bajada del cerro mientras amanecía y entre las sombras largas de los pinos entre el aire rojizo había restos de música regada por los gallos o por el último lucero y no entendió de pronto un tropezón, ni la carrera de un conejo, no tenía hambre y no entendía por qué y buscó la llave en la bolsa, preocupado porque si no ¿cómo iba a entrar? Y oyó ruidos, y rechinidos, y oyó una campana destemplada, sin entenderla.

Traía la llave. Podía entrar.

3

A las once de la mañana desayunaba solo mientras Juana le daba chocolate, leche, molletes, plática divagada y ocasión de pensar.

Cuando él llegó de regreso, Ricardo se incorporó a verlo y le preguntó con voz adormilada, perpleja:

—¿De dónde vienes?

—Del cerro.

—¿Qué?

—Del cerro.

—Vete al carajo —irritado, acurrucándose otra vez en el sueño.

Mario quedó insomne. Recordó. Temió: "va a olvidárseme". "No va a olvidár?sete nunca." "Ah. Gracias"

Recordaba. Ya no era un hecho dado, y no lo era por la reacción de Ricardo, al cual no podía contarle dónde había estado tantas horas ni haciendo qué. ¿Dónde había estado? En el cerro. ¿Haciendo qué?

Al contemplar el agua vemos la superficie y los reflejos. Pero ajustando nuestros ojos, la voluntad, podemos penetrar hacia lo hondo, descubrir flora, peces, ver de cierto lo que es el agua; el comedor entonces (porque viendo los pinos—)... Si miro en torno el comedor —

—¿Qué fue? ¿Te sientes mal?

—No. No. ¿Por qué?

—Te pusiste muy pálido, de repente. Y con ojos de...

—¿Loco?

—De asustado. ¿Viste algo feo?

—¡No!

Lo contrario. *Todo* lo contrario. ¡Algo feo! Casi le dio risa, y con la casi risa un gozo extático. Entre sus manos, la taza con la leche quería volverse joya, en las paredes tomaba sitio cada mancha y había la luz de siempre pero hacía con gran énfasis un zigzag de relámpagos de cada punto a cada punto.

Y allí en el patio, al verlos, se desbordó, quiso inundar a Hortensia y a Ricardo con ese soplo enorme, asumirlos, a ellos dos, a sí mismo, a los tres hacerlos uno —Porque debe haber causa de lo de ayer y al envolverlos en el gozo su inteligencia metía un resquicio racional de comprensión retrospectiva a lo ¿ocurrido?: "¿por ella? ¿por ellos? ¿Por sentir esto así por ellos?" Estaban juntos, sentados en el brocal del pozo, les cayó encima, los abrazó, se oyó dicéndoles:

—Tenemos que ir los tres.

—¿Ir adónde? Estás loco.

No sabía dónde. "Eso" no era un lugar. Y el contacto físico de los cuerpos, el del hermano, el de Hortensia, le dio algo que no era horror, ni asco, pero "no, no tiene caso, no se trata de tocarse"

—¿Ir adónde? Estás loco.

Se sintió demudado, lóbrego, de pronto un gran paso en falso

¿él lo había dado? ¿ahora? ¿antes?

Y murmuró al azar:

—De excursión.

Caminó alejándose, torpemente; espantó sin querer a las palomas que picoteaban por el patio.

Al otro día fue domingo. Salieron juntos los tres. Hortensia preparó tortas y obtuvo el permiso de acompañarlos. Juana estaba renuente, decía que no, una muchacha sola con dos varones...

—Dos, exactamente. Malo si fuera con uno solo —decidió Jorge, y Celia le dio la razón.

—Pues yo no la dejaba.

Pero de todos modos fueron al lago. Que, algunos dicen, es un cráter volcánico, sin fondo conocido; tiene superficie de bordes irregulares, color oscuro, pinos y arena, piedras muy renegridas en torno y el lóbrego prestigio de haber tragado a mucha gente.

Hortensia les contó historias: de un animal en el fondo del agua, alguna gente lo ha visto. De remolinos (o pezuñas) llevándose a los bañistas. De las cuevas donde vivían bandidos antes de que llegara el ermitaño. De una cueva allí cerca tiene tierrita y zacate muy suave para sentarse a comer y no nos ve nadie desde afuera.

La boca de la cueva enmarca un trozo limitado de paisaje: con superficie tensa de lago y el agua tiene peso y textura sombría de metal, y hay un filo de cerro con pinos retorcidos y viejos y peculiares. En primer término hay rocas de superficie amenazadora, picudas y agrietadas. No puede uno estar de pie, acostarse sí, sentarse. Cantaron acostados, se rieron mucho. Mario contó cosas de espantos, con gran éxito, Ricardo hizo imitaciones muy cómicas: de Jorge, de Celia rezando, de algunas gentes a las que ponía apodos muy acertados.

Luego comieron. Había botellas de refrescos y una más con café frío.

—Pero traje una ollita de peltre. Ustedes luego busquen leña.

Mientras, Ricardo empezó a hacer planes:

—La ida de Hortensia a México debes proponerla tú. Si yo les digo van a empezar con qué casualidad y por qué quiero que vaya, y a imaginarse cosas. Tú eres *el bueno*, y se lo dices a mamá como si fuera una idea de Celia.

—Puedo estudiar allá, eso dijo Celia una vez, que sería bueno si estudiara yo en México.

—¿Estudiar qué?

—¡Ay, Mario! No va a estudiar nada. Eso vas a decirle a mamá.

—Ah. Sí, sí.

—Me gusta mucho tu casa. Y así... seguimos viéndonos.

—Sí, claro. Sí.

—Tú le dices, seguro.

—Yo le digo.

—Voy a buscar leña. Ahorita regreso. Pórtense bien.

Y Ricardo salió, los dejó acostados en la cueva, que es angosta más bien. Se hizo el silencio: para Mario fue llenándose de golpes de tambor y ruidero de sangre. No pudo hablar, ni pedir, ni nombrarla siquiera: estiró nada más la mano y la rozó en un brazo: ella no se movió. Y palpó un pecho y ella no dijo nada. Saltó entonces y la abrazó, le apretó los pechos a través del vestido, le besuqueó la cara. Luego se pegó contra ella, haciéndola sentirlo y por fin la besó en la boca mientras su mano izquierda la estrujaba por la espalda y la derecha iba explorando ansiosamente todo ese cuerpo. Un fogonazo: el hermano junto a su cama, con las prendas de ropa, el comentario humorístico y crudo... Eso al tocar una pierna, al besarla en la boca, su lengua entre los labios de ella, dientes, sabor de la saliva, y el recuerdo de la voz de Ricardo. Se separó de golpe. *Porque*

—Viene él.

parecía dar lo mismo

—No —dijo Hortensia

que fuera ella

—Sí viene.

—No.

o cualquiera otra. Un cuerpo

—Deja asomarme.

un cuerpo cualquiera, eso. No Hortensia. *Para esto*

—Lo oí venir.

—No. Él va a...

—¿A qué?

para esto no hace falta dar el corazón de plata. Para esto no hace falta

—Yo digo que haría ruido, chiflaría o...

—Deja ver —y lentamente, a gatas

no hace falta sentir tanto, no hace falta

hacia la salida de la cueva

el amor, no hace falta el amor, no hace falta

y en ese momento oyó silbar a Ricardo, una melodía larga y vulgar, y salió sin hacer ruido, lo vio sentado de espaldas a la cueva, con un poco de leña al lado, silbaba y veía el lago como si fuera un centinela

no hace falta, no hace falta
    o un cómplice.

—¿Encontraste leña? —(Qué ronco estaba)

El otro lo vio, asintiendo. Luego hizo un gesto de "síguele". Mario negó. Ricardo se sonrió a medias.

—No hace falta.

—¿Qué dices?

—Nada.

—Estás temblando.

—No.

—¿Tienes frío? Voy a prender la leña.

(¿Se burlaba? Mario no lo advirtió)

Y el guiño, y el gesto cómplice. Mario trató de responderlos y no supo si le salieron bien.

Volvieron ya de noche. Juana les escrutó las caras y Ricardo y Hortensia se reían y contaban las naderías que habían pasado; Mario trataba de hacer lo mismo, de ser natural como ellos. Celia y Jorge hacían aspavientos y comentarios al margen, sin ponerles atención.

—Es que no saben —les dijo Celia al fin—. Se murió el ermitaño.

—¿Cuándo?

—Y Jorge dice que no hay milagros: había cientos de pájaros cantores y por eso lo descubrió un pastor.

—Zopilotes serían —decía Jorge.

—Mentiras. Cientos de pájaros revoloteando y trinando.

—Dijeron como cincuenta, no exageres.

—Da igual, quién va a contarlos. Y fue a ver y estaba muerto el ermitaño. Acostado en su cueva.

—Eso de los pájaros es como invento de pastor. Nadie más los vio.

—Fue mucha gente. Se espantarían. Y fue un doctor, pero ya estaba muerto el ermitaño. Se murió el viernes por la mañana. Esta noche voy a rezar por él.

—¿Si era un santo, para qué le rezas?

—A cualquier alma le gustan las oraciones.

El reloj empezó a dar las nueve mientras la carátula decía las siete y media.

—Han de ir a dar las ocho —dijo Juana. Y de mal modo—: Vamos, Hortensia. Vente a la cocina

La gente se había reunido en torno a la mujer de negro. Hay una fuente antigua, pegada a un paredón. En algún tiempo fue el final de un acueducto, ahora recibe a veces un agua rala y turbia de cañerías, pero lo usual es verla seca. La mujer de negro se había sentado en el brocal, tenía un morral de ixtle junto a ella y parecía perpleja y cansada más que doliente.

—Es la viuda del ermitaño —le explicaron a Juana, y ella corrió a verla y a informarse.

La viuda no tenía una apariencia muy devota, tampoco su viudez era evidente entre tantas mujeres de oscuro. La plaza (paredones desconchados, que muestran el adobe; quicios de piedra rosa, muy grisáceos) se había poblado de mujeres con la cabeza cubierta. Había hombres, también. La viuda en un estado de fatiga y perturbación, lo desahogaba explayándose con quienes querían oírla:

—Sí, lo sabía, me avisaron el viernes, Ya podía yo hacerme cargo, dijeron de lo que me corresponde. Más o menos eso entendí. Se referían a él. ¿Qué le corresponde a una de su marido? No me mantenía, ni tenía dinero, ni casa, ni... ¡nada! Su cuerpo, me di cuenta después. Y pensé: ya se ha de haber muerto. ¿Y el cuerpo cómo me va a tocar? A la tierra será, no a mí. Eso entonces, debo enterrarlo. Pero lo habían dicho... como si fuera la gran cosa, ¿y qué mucho puede ser eso de enterrarlo? Me acordé: obra de misericordia: pues vine. Y no sé dónde está, allá arriba, ni cómo voy a bajarlo, ni a qué camposanto, si al de aquí o al de nuestro pueblo.

Juana se atrevió a preguntar:

—¿Quiénes son... esos que le avisaron?

—Amigos de él. No, nunca los veo. Me hablan siempre en sueños, o cuando estoy distraída. Recados, o cosas útiles... Hasta negocitos buenos me aconsejan a veces. Cuando él se iba ya de la casa lloré muchísimo, y le decía yo: ¿de qué voy a vivir? Sí, muy bonito, dejas el mundo y te vas al Cielo desde ahora. ¿Y yo? ¿Quién me va a mantener? Tú no puedes irte si no me dejas antes un modo decente de vivir. Y él decía: Dios va a encargarse de todo y yo no quería creerle... Entonces vinieron ellos a avisarme que sí, que eso era cierto. Y me saqué la máquina de coser en una feria. Bueno, ya ni modo ¿no?

Corrían murmullos de "le habló Dios, le regaló una máquina de coser"

—No, No. Dios qué me iba a hablar, pues quién es una. Así personalmente... qué me iba a hablar. Me hablaron ellos y la máquina me la saqué en una rifa.

Una mujer le besó la orla del vestido, otras más empezaron a hacer lo mismo.

—Ay, señora, qué besa usted, si traigo la ropa rete

sucia del camino, vengo toda revolcada, ese camión tan lleno de tierra...

Oyéndola, supieron también que el ermitaño había sido empleado postal.

—No, qué santo iba a ser. Muy... común y corriente. Alegre, a veces se emborrachaba, se divertía, le chispeaban los ojos. Y simpático, le caía bien a todo mundo. Antes de esas cosas, claro. ¿Cómo lo llamó Dios? No sé. Lo primero, creo, fue una noche: desperté y él estaba de rodillas en la cama y yo pensé: está enfermo. Tenía los ojos idos, mirando a la pared muy arriba. Me entró tanto susto... Así tardó... mucho. Tardó así. Y murmuraba cosas, asentía con la cabeza, murmuraba. Después fue regresando, veía todo con miedo, ya sin hablar. Se bajó a dormir al suelo y me pidió que me callara y lo dejara allí. Al otro día no quería ni mencionar eso, pero le insistí bastante y por fin me explicó: fue como una visión de nubes, o de cielo, una especie de precipicio para arriba y la luz lo jalaba. No es que se lo llevaran, nada más lo dejaban ver. Me lo medio describía y se le erizaba el pelo y le escurrían lágrimas. De seguro fue horrible. Ha de haber visto algo hasta allá arriba y se lo calló, pero yo sé a Quién. Cuando volvió, me dijo, yo tenía la cara llena de luces algo raras, medio verdosas, y todo el cuarto brillaba de varios modos. Eso le ha de haber dado tantísimo espanto... Y de seguro así le sucedió otras veces, sin que me lo contara, pero una no está ciega, ve... Y también... Eso fue muy feo: Parecía desde entonces que le diera horror tocarme o tocar a la gente... Luego empezó a despedirse. Todos creyeron que era broma: no decía para dónde, y no se iba. No quería, se me figura, no se animaba. Después se fue.

—Será que se volvió loco —decía Jorge en la tienda, cuando le contaban la historia, muy adornada.

—¿Será? —decía Juana dudosa, y movía la cabeza.

Ya nunca vería Mario esa figura astrosa y esquelética, peluda, brincando por el cerro y eso parecía darle un fuerte, inexplicable alivio. También unas punzadas, que prefería no advertir, de congoja.

Celia quiso ir al entierro y subió al monte con mucho trabajo. Había bastante gente, parecía romería. Llevaban velas. Las niñas iban en traje de ofrecer flores, como noviecitas, con coronas floridas de cera sobre el velo y palmas benditas en las manos. Ya no había pájaros en la cueva, pero el suelo en torno a la boca estaba lleno de velas y veladoras encendidas. Alguna gente rezaba, otra iba nada más a curiosear.

El cuerpo estaba envuelto en una sábana, no se le veía y la viuda no dejaba descubrirlo. Le había dado horror verlo, de momento creía que no era él. Se había conservado sin corromperse, seguramente porque la cueva es salitrosa, con mucha piedra caliza y tequezquite.

—¿Y por qué se lo habrá traido Dios así? —pensaba Celia en voz alta.

—Alguna gente sirve mucho para rezar.

—Yo no sirvo, le mera verdad. Me distraigo, me acuerdo de muchas cosas ajenas... Nada más empiezo a rezar y se me ocurre todo. Pero es que así soy, no ha de ser culpa mía.

Había un olor intenso a pino, la gente había alfombrado el suelo con ramas frescas, y el cuerpo descansaba en unas parihuelas también cubiertas por ramas.

—Pues lo dejaré aquí —había dicho la viuda—. Si él escogió este pueblo, o si aquí lo mandaron, que aquí se quede. Aunque nuestro cementerio está más cuidado y más bonito. Además, ¿cómo voy a viajar con un muerto?

Cuatro hombres cargaron al difunto, y la vida en el monte lo había vuelto leve. En silla de manos, bajaron a la viuda y ella sí pesaba mucho, se veía por el esfuerzo que hacían.

Celia no pudo seguir al cortejo. Se fue quedando sola entre los árboles, diciendo oraciones divagadas. Tardó en bajar y ya no fue al cementerio, le dolían mucho las piernas y del cansancio hasta le dio un poco de calentura.

—Ya no está una para estos trotes —murmuraba entre rezo y rezo.

La viuda se marchó al otro día. Mucha gente fue a acompañarla al camión, un vehículo muy destartalado, con el techo lleno de pollo enhuacalados, costales, bultos. Venía lleno pero los del pueblo dijeron que era la viuda del ermitaño y los pasajeros le hicieron sitio, pudo sentarse junto a una ventanilla y desde allí daba las gracias y decía sus preocupaciones como pensando en voz alta:

—Me han estado ayudando todos estos años, a ver si no me abandonan. Seguramente no, ¿verdad? Aunque se haya muerto, tal vez él mismo pueda ocuparse ahora de mí, siquiera por el tiempo que vivimos juntos. Si no, ¿cómo le voy a hacer? Yo sí creo que sigan cuidándome, ¿verdad? Ojalá, quiera Dios. De todo eso no entiendo mucho: esas cosas de los milagros no son para entenderse; lo que sí es medio grave, cuando pasan en casa de uno.

De todo eso se habló mucho después. Unas mujeres hicieron una colecta para construir una capillita en la cueva y juntaron como cien pesos, pero se fueron con el dinero y resultó que nadie las conocía: no eran de allí.

Se hacían reflexiones en torno a lo que habría estado haciendo el ermitaño, allá arriba.

—Rezaba todo el día. Eso hacen: rezar.

—Veía todo. Ven todo. Eso hacen, así como vigilar. Si alguna gente del pueblo está muy oscura, rezan por ella, la cuidan que no haga daños. Si alguna gente está muy luminosa, rezan por ella, para que adelante.

—Los manda Dios como señales, y así entendemos más. Fortalecen la fe.

—Dios no los manda meterse al monte y ya no ver a nadie. Sino que viéndolo a Él, la gente y el mundo han de parecer después muy horrorosos.

También, decían, hay gente floja y abandonada pero muy lista, y encuentra el modo de no hacer nada y los tontos le suben de comer.

Juana, comprando, vio a Liboria y la detuvo:

—Oye, será bueno si te llevas a tu hermana para tu casa.

—Mire, Juanita, doña Celia es su madrina y más vale que ella la cuide. Mi casa no anda bien, no hay lugar de respeto para Hortensia.

—En la casa están los sobrinos de Jorge, y más vale

que te lleves a Hortensia, yo sé lo que te digo. Yo veo cosas.

—En mi casa no hay modo de cuidar a una muchacha si no quiere que la cuiden. La que se porta mal, se porta mal en todos lados. Y ustedes son tres, tienen recursos. Yo soy sola y mi marido ya usted lo conoce.

—Ya lo conozco. Pero en la casa nosotros respondemos por los sobrinos de Jorge. Y por Hortensia. Ten consideración: ya estamos viejos.

—Pues a ver si me doy una vuelta esta tarde para hablar con doña Celia.

—Haz como mejor pienses.

"Celia nunca ve nada. La va a dejar allí. Ya estamos viejos para ver pasar desgracias en la casa."

Se fue por la herrería, luego por las cantinas, luego fue por los hornos de tabique: allí estaba Efraín.

—Vine a avisarte que será mejor si recoges a Hortensia. En la casa hay dos jóvenes, los sobrinos de Jorge, y más vale, ¿no?

—Sí, más vale. A luego voy. Nomás acabo con esto.

—Me alegro de verte trabajando.

Liboria no fue a la tarde, Efraín sí. Se llevó a Hortensia.

4

Rechinidos, la polea del pozo. Media tarde. El patio, el sol de media tarde. Y no hay algo admirable en medio de las palomas. Esta casa se ha vuelto opaca y somnolienta, qué hace uno aquí con tres viejos maniáticos, qué hace uno aquí. Siempre se puede subir al cerro, ver el pueblo, ver la piedra borrada por la intemperie. Han enfriado los días. El sol a veces quema sin calentar, su ardor llega filtrado por ráfagas que bajan desde las nieves de los volcanes, y los labios se agrietan y hasta sangran. "Estos días pasan pronto", dice la gente envuelta en sus sarapes, y por las noches usamos más cobijas y se escuchán zumbidos fuera y sacudones glaciales de puertas y ventanas.

Mario da muchas vueltas por la casa.

—¿Y éste qué tiene? Anda sin sombra. —Pregunta Celia.

—Yo sé qué tiene —dice Juana, pero no explica.

—Tiene la edad —dice Jorge.

Todo esto a espaldas de Mario.

Algo ha quedado desvinculado entre Ricardo y él. Hablan por la mañana, se dicen frases por las noches, pero se ha marchitado la intimidad fraternal. Ahora son dos hermanos a secas, que necesariamente han convivido desde el principio de sus recuerdos. Ricardo ha decidido explorar, sale por las mañanas, lleva una mochila con refrescos y comida. Regresa por las noches y da versiones muy parcas de donde fue.

Mario ha dejado de ir al cerro. Da vueltas por las calles, va al mercado, va por el barrio que Hortensia le ha nombrado: no conoce la casa ni se atreve a preguntar. Hace conversación con Juana, menciona a veces a Liboria: Juana se hace la desentendida, contesta vaguedades y laconismos.

Por fin, una mañana en el mercado, el encuentro: entre los puestos de tequezquite, entre las ollas y los tendidos de huaraches: Hortensia.

—¡Hortensia!

¿Qué sucede? ¿Qué es esa dureza en el rincón de los labios?

La acompañó en las compras. Ella contesta poco y él no sabe conversar. Empezó a platicarle de la casa, pero en la casa nada sucede y se quedan callados, una concha de silencio los aísla de los ruidos del mercado, Mario sólo percibe ese silencio, emana de ellos dos y no lo entiende. Como leves descargas eléctricas lo sacuden los golpes sonoros con que ella pide:

—Medio quilo de ejotes.

—Un tostón de cebollas.

—Un peso de tortillas.

Él carga el morral, ella arroja lo comprado como si despreciara la mercancía. ¿Y al cargador?

—Ya acabé —dice al fin—. Ya me voy.

Y estira la mano, pero él no suelta prenda.

—Te acompaño a tu casa.

—No. No se puede.

—¿Por qué no?

—No les iba a gustar que llegaras conmigo.

—¿Estás... enojada?

—No

—¿Entonces?

—¿Entonces qué?

¿Cómo explicarle el rayo "nos estás fulminando las entrañas"?

—Antes - no - eras - así - conmigo.

Un gesto. Ella toma el morral.

—¿Por qué dejaste que me llevaran?

—¿Yo? ¿Yo qué podía hacer? ¿Quién me iba a pedir permiso?

Ella se encoge de hombros. Va a irse.

—¿Qué querías que hiciera? ¿Qué quieres que haga?

—Llévame a México. A tu casa.

Se ven. Él asiente.

—¿Vas a llevarme?

Él asiente.

Ella ve en torno.

—Ven.

Avanza entre los puestos, él la sigue. Ya están junto del árbol enorme y harapiento, ella ve en torno y camina hacia el hueco entre tronco y muro. Allí espera. Mario va. Es un rincón estrecho y maloliente. Y ella lo besa en los labios y pone la frente en el hombro de él.

—Llévame, de veras. Diles que me reciban. Recomiéndame. Pídeles. Tú puedes.

Él se atreve a abrazarla. Ella se endereza muy aprisa.

—Quédate aquí.

Y se va corriendo, sin ver hacia atrás. Se pierde entre la gente, en el mercado.

En la mochila de Ricardo hay una botella de habanero: Mario la vio: y al hermano con ojos de escándalo.

—Para el frío —explicó el otro cínicamente, y siguió guardando los panes con queso y jamón, los huevos duros y el refresco.

—¿Adónde vas?

—Por ahí. Al lago... A ver.

—¿Vas a nadar?

—Sí, con este frío.

Lleva suéter muy grueso, se ha echado un sarape al hombro. Hace un gesto casual, va a irse.

—Yo voy al cerro —dice Mario, por si el otro piensa que es buena idea ir juntos.

—Yo no.

—Préstame tu chamarra de cuero.

—Estás loco.

—No te la vas a poner.

—No le hace.

Se va. Mario se queda sentado en el catre. Son las tres de la tarde. No siente impulsos de salir. Se acuesta bocarriba, lleno de ensoñaciones incoherentes, y va durmiéndose, una siesta pesada y larga de la que despertará atontado cuando lo llamen a cenar.

En efecto, volvieron los días tibios y las noches sin frío. El viento duró poco. Mario no ha vuelto a encontrar a Hortensia.

En la tienda se venden juegos de oca y de lotería: cartones anticuados con muñequitos muy precisos, de apariencia misteriosa. Mario los descubrió y organizó sesiones a la hora de cerrar el comercio. A veces juega con Jorge, pero las dos viejas casi siempre se animan y juegan también. Apuestan maíces, representan sus personas con corcholatas de refrescos.

—...Cuatro, cinco, seis, vuela, uno, dos, tres, cuatro, ¡cinco, seis, vuela! —Celia se entusiasma, vuela como la oca, ella también sobre pozos y puentes, se ríe, palmotea, cae en el laberinto o en la cárcel hasta que alguien la salva y vuela de nuevo.

Juana se apasiona, frunce el ceño, acusa a Jorge de hacer trampas, se indigna, se pelea y Mario debe calmarla o consolarla y regañar a Jorge.

Luego llega Ricardo y pone cara de burla, sin decir nada.

—Ven a jugar, Ricardo.

Sí, ven, ven, anda. Yo ya gané dos veces.

Proponen las dos mujeres y él se niega sonriendo y encogiéndose de hombros. Trae el pelo con tierra y hojas, la ropa sucia y a veces los ojos inyectados. Ahí acaba el juego, Ricardo quiere cenar. Las dos mujeres se levantan de mala gana, una tiende la mesa, otra recalienta comida del mediodía y hace café con leche. Ahora le tienen a Mario un poquito más de cariño que a Ricardo. El cual se acuesta y se duerme en seguida.

Es curiosa también la variedad de humores que Ricardo puede exhibir cuando regresa: un día llega exudando una felicidad completa y honda, con altibajos de animación y ensoñación; otro, llega furioso, sin hablar, con los ojos inyectados y aliento impregnado de habanero; otro trae un contento animal, una satisfacción que silba melodiosamente, bocarriba en el catre.

Otro más no se sabe si tiene gozo, melancolía o añoranza.

Mario iba a apagar la luz; observó al hermano despierto, viendo al techo.

—¿Adónde vas tanto todos los días?

—Al cerro.

—Vete al...

¿No habían dicho ya antes esto mismo? Tuvo una especie de sobresalto, tal vez Ricardo hubiera —si Ricardo supiera—

—¿Al cerro? ¿Y no has...?

Permaneció con la interrogación ansiosa en el rostro, dándose cuenta al mismo tiempo de una especie de sombra que lo ha cubierto desde hace días, postergándole en la memoria y en la experiencia el suceso incomunicable.

—¿No he qué?

Y lo miraba con dos agujitas risueñas y duras.

—Nada.

Se desvistió en silencio, se acostó.

—Tú apagas la luz.

Y se tapó hasta la cabeza.

Otra vez el domingo, con la tienda cerrada, las dos viejas a misa, Jorge durmiendo. Mario, sentado en el brocal del pozo, subía y bajaba la cubeta, distraído en oír el rechinido de la polea. Ya les echó migas a las palomas, ya vio las plantas, una a una, y algunas tienen brotes nuevos, otras florearon, a otras les arrancó las hojas secas; los jazmines, las rosas, los pensamientos, los geranios. Y las hortensias. Las hortensias, otra vez la hortensias, que están enormes, intensamente azules, casi tornasoladas.

Ricardo va a salir. Es ya media mañana y el aire está caliente.

—¿Vas a nadar? Voy contigo.

—No voy a nadar. Y no te pongas mi chamarra.

—Pinche chamarra, cuando me la pongo.

—Pues por las dudas...

Completó la frase con la acción, regresando y llevándosela puesta, la codiciable chamarra de cuero negro.

La casa quedó sola, con las palomas arrullando y el rechinido de la polea del pozo, pues Mario sube y baja la cubeta, una vez y otra vez.

Abajo el pueblo. Grisáceo. La iglesia echada entre las casas, un gato sucio y comodino, con las manchas opacas, amarillentas de los mosaicos. El cielo árido y vacío, los pinos erizados, polvosos, llenos de movimientos irritados e inarmónicos. Y el sol no calienta, porque aquí arriba corre el viento helado de los volcanes que no se ven. Bocabajo en la roca, esa sí quema. Mario intentó canturrear algo, pero la letra del bolero suena estúpida y mejor es callar, escuchar el zumbido del viento entre las ramas, oler el polvo resinoso, pensar algo incierto y desconsolado. Tiró una piedra, y otra, las vio rodar, a ver si no le caen a alguien, tiró más piedras y se fue caminando cuesta arriba, enfiló pasos hacia el sendero al lago, *"por allí no"*, obedeció, volvió a la piedra cuando ya el sol iba poniéndose entre unas nubes desgarradas y sangrientas.

Celia quería jugar a la lotería, Juana a la oca.

—Jueguen ustedes, no tengo ganas.

Pero los viejos no se animan. Ellos tres solos no tiene chiste. El reloj dio las diez mientras marcaba las ocho y media: iban a ser las nueve. Fue cuando entró Ricardo dando diente con diente.

—Muchacho, ¿qué te pasó?

Demudado, ropa mojada, pelo mojado.

—Nada. Me caí al agua.

Aspavientos y exclamaciones, esa laguna tan peligrosa, acuéstate ya, tápate bien, te vas a enfermar. Y él obedece y va hacia el cuarto, pero antes entró al baño. Mario, que lo seguía, oyó el ruido del vómito, los lamentos ahogados con espasmos, arcadas.

—¿Qué te sucede, tú? ¿Te emborrachaste?

Lo ayudó a incorporarse, lo llevó hasta la cama, lo ayudó a desvestirse y fue a buscar más cobijas mientras el otro hacía una bola con la ropa que se quitaba y la tiraba a un rincón.

Ya está acostado y el catre se sacude, Ricardo tiembla y no quiere nada, lo obligan a beber té caliente y Jorge logra darle dos tragos de habanero.

—¿Dónde está la mochila?

—No la llevé.

—Sí la llevaste.

—Se me perdería, entonces.

Después los dejaron solos. Mario merendó allí, junto a él, preocupado, sin decir nada.

—Quién sabe qué me hizo daño —murmura Ricardo al fin. Y pide—: Dame más habanero. Tengo frío.

—No. Te va a caer mal.

—Dámelo, carajo.

—Que no.

—Me voy a levantar a buscarlo.

Mario accedió por fin y el hermano bebió tres grandes tragos de la botella. Mario se echó uno también, por acompañarlo. Después se desvistió.

—No apagues todavía la luz. Yo apago luego —pidió Ricardo.

—Bueno.

Pero la luz amaneció encendida y la botella de habanero vacía.

5

Duró acostado el día siguiente, y el otro; el martes accedió a tomar un poco de caldo y a comer una piececita de pollo. Mario lo acompañaba, leyendo revistas en un sillón. Jorge les trajo un radio viejo que él tiene en su recámara y oyeron anuncios, canciones rancheras, boleros melodramáticos. En la noche volvió a beber. Mario le retiró la botella cuando iba a la mitad. Por eso el miércoles, al caer la noche, se reunieron los viejos en la pieza, pues Mario trajo los cartones de lotería y la jugaron en torno al catre. Jorge cantaba las figuras y usaban granos de maíz para cubrirlas cuando salían.

—El diablo. La casa. El valiente. La dama. El sol. La maceta. El perico. La muerte...

Hubiera querido decir un chiste o un versito con cada una, como hacen en las ferias, pero le daba vergüenza, nada más los pensaba sin atreverse a soltarlos.

Ricardo condescendió a jugar por tanto que le insistieron, pero no ponía mucha atención y Celia debía estar vigilándole sus cartones.

—Mira, la muerte, ahí la tienes. —Y la cubría con un grano de maíz—. El árbol, allí está.

—No se vale jugar por otros —rezongó Juana—. Si no se fija, que pierda.

—Está enfermo, pobrecito.

Y así avisó gritando cuando él ganó, "¡lotería!", y se alegró como si los cartones hubieran sido de ella. Con esto Ricardo se animó un poco y puso más interés en el juego.

Las campanadas del reloj no llegaban hasta el cuarto, no sintieron pasar el tiempo y esa noche se durmieron muy tarde.

Despertaron tarde, también, Jorge se levantó en chanclas, sobresaltado, cuando oyó los toquidos en la puerta. "¡Ya es hora de abrir la tienda!" Se abotonó los pantalones en el camino y tenía tanto sueño que casi no podía quitar la tranca ni meter la llave en la cerradura. Era Liboria, les traía de nuevo a Hortensia.

—Usted verá, don Jorge: no tengo dinero para el gasto, Efraín de por sí me da poco, apenitas alcanza; pues ahora ya no asiste a la casa, qué voy a hacer. Yo donde quiera como, y cualquier cosa. Voy a lavar con algunas familias y allí me dan unos bocados, y también algo para llevarme. Pero apenas hay para mí... Efraín se fue el sábado, su parranda del día de raya, usted sabe. Pues estamos a jueves y no vuelve. Ya una vez se largó a otro pueblo. Por mí, que no regrese nunca. Pero ésta... Y doña Celia es su madrina, ella me habrá de perdonar si se la encargo unos días. Ya volveré por ella cuando haya modo de mantenerla.

Jorge la dejó entrar, vio marcharse a Liboria, cerró mientras Hortensia se estaba quieta, con su bolsa de ropa entre las manos.

—Pues pasa y acomódate. ¿Qué horas son? Hay que abrir la tienda. Nos dormimos muy tarde anoche, estuvimos jugando. ¿Desayunaste? De seguro no, te ves muy mal. Te fuiste a pasar hambres. Ve a la cocina, come algo, calienta un poco de café.

Mario la vio en el patio, entre las palomas, y el corazón le dio un salto loco. No se acercó. Ella estaba lavándose el pelo, restregándolo fuerte con mucha espuma de jabón. Ahí se quedó sentado viéndola. Y ella empezó a secarse, luego lo vio: no dijo nada. Siguió frotando guedejas negras, se echó después la toalla sobre los hombros y desplegó la cabellera sobre la espalda. Había traído un banco de la cocina y se quedó allí, muy encogida, como con frío, en el rayo del sol.

—Se te va a secar pronto —dijo Mario desde lejos.

Ella asintió. El sol le lamía el pelo, la lamía toda, la iba secando toda.

—Qué bueno que volviste.

Esto más quedo, y ella asintió sin verlo, frunciendo el ceño, muy encogida.

—¿Sabías que Ricardo está enfermo?

Ella asintió. Y lo miraba, entretejiendo entre ambos un gran seto de espinas.

Se quedaron un rato allí, sin hablar. Ella se fue después a la cocina. Mario regresó al cuarto.

Se levantó Ricardo y parecía más flaco, la enfermedad lo chupó un poco, decía Juana. Y come con desgano y tiene trastornos digestivos.

Hortensia volvió a dormir en la trastienda, volvió a limpiar las jaulas, a cocinar a veces.

Mario y Ricardo andaban juntos, no hablaban mucho pero se acompañaban en el día. Y ya en la noche platicaban, o hablaba Mario, más bien, Ricardo le preguntaba cosas y lo escuchaba, serio y atento, sin importar lo largo de los relatos.

El viernes fueron al mercado. Ricardo quiso, "a ver qué hay". Ese día llegaban cosas de otros pueblos. Caminaron al azar, deteniéndose a veces, curioseando en algún tendido de cobijas de lana, o viendo a los pajaritos hacer suertes, disparar cañones y entregar papeles con la buena ventura. Ricardo compró un peso de tequezquite.

—¿Qué vas a hacer con tanto?

—Siempre sirve en la casa, no es para mí.

Mario compró regalos: fruta y un jarrito que decía "Juana".

—¿En qué usas el tequezquite, Juana?

—Si se le echa al cocido, ablanda la carne... Limpia muy bien, limpia todo: el metal manchado, la porcelana, hasta la ropa... todo.

Ella pelaba chícharos. Él observaba a Hortensia, afanada en hacer diversas cosas por la cocina, un poco desatinadamente, como si estuviera distraída o tuviera muchos deseos de complacer.

"Ella está rara, y Ricardo está enfermo y raro, y yo estoy raro" pero sin saber la causa. Es nada más una atmósfera, las palabras se resisten a salir, los gestos dan vergüenza u horror, o tienen la apariencia de ser enormes, de conducir muy lejos. Y no es así. ¿No es así? ¿Adónde conduce un gesto? Se sabe hasta después, claro. No pasar por la esquina que debía derrumbarse, y no cortar la flor que habría de dar semilla.

¿Cada gesto conduce a dónde? Pelar chícharos, saludar, ver gorrioncitos agoreros, pintar dibujos en una piedra, o comprar tequezquite? Mario pensó que ojalá no sea así, con un vértigo de terror, que por fortuna no es así. Si hubiera sentido en todo, en cada paso, ¿cómo atreverse a caminar?

—Te ayudo —dijo. Y empezó a pelar chícharos.

Quiso saber, lo tenía en la cabeza y al alcance del pensamiento. No lo entendía tal vez, pero existía: una barrera, muchos gestos velados, reticencias, distancias. Desde el regreso de Hortensia. Y esos ojos de vieja sabia con que Juana veía de vez en cuando a Hortensia. O lo miraba a él. Aunque también miraba así otras cosas.

"Lo que ocurre: Juana sabe." Eso fue bueno entenderlo. (No era todo.) La barrera era Juana seguramente, siempre estaba cerca, o aparecía de pronto sin hacer ruido. "Me habrá visto besarla." Pasaba entonces algo sencillo: instinto de secreto, complicidad, no quiere Hortensia que se la lleven otra vez, Hortensia y yo disimulamos juntos. Juana tal vez nos vio besarnos, Hortensia entiende. Yo entiendo. Disimulamos porque la llevaré a México.

Y esto dio animación al día, ese deseo del cuerpo despertaba recordando contactos, o inventándolos sin pudor para después arrepentirse, dar marcha atrás. Avanzando después algunos pasos. En la imaginación empiezan las acciones. En soñar tocar, en soñar besar. En soñar.

El sábado apareció el cuerpo de Efraín. Poco reconocible, dentro del agua, casi en la orilla. Pensaron que se había ahogado, pues la laguna es peligrosa. Pero a la hora de levantar el acta, el médico encontró las puñaladas. Eran tres. En un lugar así no hacen autopsias; quedó la conjetura en pie, de si habría muerto ahogado o a causa de las heridas. Pero de todos modos ya estaba muerto desde hacía una semana: daba igual. Se indagó en las cantinas, averiguaron cosas: por ejemplo, el sábado Efraín había estado en el misérrimo burdel de las afueras, allí pasó la noche y no hubo riña. O eso dijeron: todo mundo se encubre. Había la posibilidad de una venganza, porque una vez, borracho, Efraín hirió a alguien. Pero el herido salió del pueblo hace ya tiempo, se fue al norte, no vive aquí. Y era un hombre pacífico además; nunca se sabe, claro. También la gente mata porque sí, el alcohol suelta la violencia acumulada por la miseria y la mala vida, y el hombre sale a oscuras por las esquinas, ciego de rabia y listo a lanzar desafíos, "nos rajamos la madre", "nos la rajamos", dice el otro. Las dos violencias chocan, una desaparece entre estertores, la otra se vuelve culpas y secretos. Y borracheras. Y más violencia. Cualquiera pudo hacerlo. Su compadre bebía con él, después lo veía marcharse solo, en la madrugada. Luego Efraín caía tirado a dormir, por allí, en la madrugada. Por allí por el cerro, o en el umbral de alguna puerta, guarecido en el quicio. Se despertaba sucio y sin ideas, con los recuerdos personales sustituidos por un torpor benéfico, y los pies lo llevaban a cualquier sitio donde el sol no quemara los ojos: al lado de Liboria, o a una cantina recién abierta, para curarse, o a la frescura de los pinos, o a la orilla del lago, a rincones donde dormir con la botella junto. Cualquiera pudo hacerlo, dice el compadre, y se incluye con humildad. Pero lo dejan libre, y también a los otros. El que haya sido se sabrá, ya va a decirlo mucho después, en la cantina, o lo dirán los otros (si los hay), los que vieron. Mucho después. Es cuestión de esperar. Ya se sabrá algún día. O nunca.

Celia compró la ropa negra para el luto de Hortensia. No hubo velorio, por el hedor. Liboria aullaba y se retorcía, se golpeaba la frente contra el suelo y no quería que nadie la consolara ni la ayudara. Cuando lo vio, gritaba "éste no es él", pero aceptó por fin, eso era él. Eso había sido hermoso y habían dormido juntos, y eso había sido objeto de pasión y deseo. Y lo era en cierto modo atroz, superpuesto a sus apariencias anteriores: eso le había brindado noches inenarrables y la había acariciado y sabía murmurar, de vez en cuando, cosas tiernas, y vivían juntos y le daba dinero algunas veces, y era razón de orgullo y lo sería por mucho tiempo: eso era suyo todavía, y no existía ya más en cierto modo atroz.

Le dieron muchos tragos y así se fue calmando y pudo ir al cementerio.

Entre cuatro cargaron la caja de pino, barnizada de negro y sin forrar. La echaron en un camión de redilas y encima le pusieron ramos de flores.

Hortensia no quería ir. No decía por qué, sólo lloraba mucho.

—Ya sé, hija. Cómo vas a querer. Alguna vez debemos ir a los entierros, y todo es empezar. Va uno después a tantos... No te acompaño porque estoy vieja. Yo me quedo rezando aquí en la casa. Pero tienes que ir.

Y fue.

Mario la acompañó.

—Préstame tu chamarra negra.

—No

—¿Por qué no?

—Porque no.

—¿Tú no vienes?

—No.

—Préstame tu chamarra.

—Que no, que no. Que no te la presto, carajo.

—¿No ves que es un entierro? No tengo nada negro.

—No. No.

—Métetela por donde puedas.

Aunque antes de un entierro no está bien decir groserías, pero esa necedad, esa discolería de Ricardo.

Se vistió con cuidado, suéter y corbata. Y sentía convulsiones en el alma, por el rostro contraído de Hortensia. Que lo vio junto a ella y no entendió cuando él dijo "vamos".

—¿Adónde?

—Al entierro. ¿No quieres que te acompañe?

—Sí. Acompáñame.

El camión iba despacio, levantando una nube de polvo en la que caminaban los dolientes. Las mujeres enrebozadas, los hombres con sus sombreros de petate en la mano. Fue bastante gente, tal vez por curiosidad, pues un hecho de sangre da ganas de estar cerca y oír cosas, participar un poco en la violencia y el horror, ver cómo fue, conjeturar y deducir.

Hortensia y Mario iban atrás. Liboria en medio de la gente, con la mujer del compadre, con otro grupo de mujeres que no hablaban o murmuraban en voz baja temas ajenos al entierro y a la viuda.

Salían muchos a mirarlos, y los seguían un trecho y se regresaban, comentando el suceso, moviendo la cabeza, el olfato impregnado de corrupción.

De una casa de adobes en las afueras, el burdel, salieron tres mujeres y otra más se asomó por la ventana. Señalaron el ataúd, hablaron entre sí, se quedaron paradas, viendo cómo el cortejo y su nube de polvo se perdían en la vuelta del camino.

En la cantina, por la noche, bebieron a la salud del difunto. Y el compadre juró vengarlo, nomás que supiera él quién había sido. Dijeron cosas buenas del muerto, compadecieron a la viuda. Se regaron después por las esquinas.

Cuando empezaba a anochecer, Celia fue con Hortensia a casa de Liboria. Le llevaba dinero y un pésame sentido; ella agradeció con movimientos de cabeza, mordiéndose los labios. Había bebido más, la rodeaban otras mujeres. Celia no las conocía.

—Te dejo aquí a tu hermana. Que te acompañe.

—¿Qué me va a acompañar? Mejor llévesela. Yo para qué la quiero aquí.

—Como tú prefieras. Que venga mañana entonces.

—No. Que no venga.

Hortensia no decía nada, ni caminó a la puerta. Se quedó quieta, viendo al suelo.

—No te pongas así, no es bueno. Cuando sucede una desgracia, mejor es resignarnos.

—Sí, doña Celia. Se dice fácil. Pero usted es muy buena y no sabe del mundo.

La dejaron con sus amigas, que hablaban poco, trajinaban y habían encendido veladoras.

Mario lloró, bocabajo en la cama, apretando la cara contra la almohada, porque sentía llegar de la trastienda una ola negra de sufrimiento. Se calmaba y volvía a llorar, y habría podido lanzar gritos, o decir cosas que no sabía. Pero disimulaba por Ricardo, quien tampoco dormía.

Luego se fue calmando, se quedó inmóvil, con dolor de fatiga en los músculos, y oyó al hermano beber unos tragos, y oyó el ruido cauto de la botella contra el suelo.

6

Abajo el pueblo. Un amasijo de vida e intimidades, movimientos, las figuras a esa distancia parecen lentas pero sabemos que hay ajetreo y voces. La iglesia al centro, curioseando con sus dos torres enanas. Todo se aplana un poco y se ve demudado, por el sol en el cenit, una presión constante, una violencia deliberada que penetra los rincones, muestra y desnuda y al mismo tiempo iguala y emborrona. Todo eso dice algo y tal vez el sufrimiento intenso venga de allá, de abajo. Tirado así, en la piedra, aplanado y atormentado por el peso del sol, por la ola de sentimiento turbio y confuso emanada del caserío, Mario no puede estar de cara al cielo. Ve al pueblo y lo deslumbra, todo deslumbra en esta hora. La piedra quema, y él no advierte que suda y tiene sed, sólo se esfuerza en distinguirlo todo: identifica calles, busca casas: a esta distancia, y en esta luz, cualquiera de ésas es la mía. ¿Y la gente? No hay formas de viejos ni de jóvenes, casi no hay hombres ni mujeres. Hay movimientos, traslados de figuritas de un punto a otro sin sentido aparente. Si el sufrimiento es por Hortensia, ¿cuál es Hortensia? No he encontrado mi casa y si la hallara y viera el patio, no podría distinguir si es ella o Celia o Juana. Desde aquí daría igual. Arriba, el abismo nos deja ciegos. Es mejor levantarse, ir a los árboles. Que están quietos, solemnes, muy erguidos, sin brillo. Corrió a abrazar un tronco, iba huyendo del sol, que lo mareaba ya, le daba náuseas. Se sentó allí, una mejilla en la corteza, era doloroso el contacto. Mejor esto: uno sabe qué siente y por que lo siente: sería mejor la enfermedad, el cólico, la pierna rota o la fiebre, mejor que el cuerpo sufra y uno sepa la causa del sufrimiento. ¿Pero esto otro? ¿Llorar así, pedirle auxilio al tronco áspero y murmurarle frases vacías? Ayúdame por favor, perdóname por favor, ya no, esto ya no, otra cosa, esto ya no. Y se queda escuchando lo que dijo. "¿Qué dije?"

Hortensia empezó a adelgazar. En pocos días se demacró, tenía ojeras, se le notaban más los pómulos, no come nunca, ¿no se han fijado que no come? Tal vez esté enferma, debería verla el médico. Pero ella accedió a comer, Celia fue diariamente a vigilarla mientras tomaba huevos, leche, carne. Come, hija, o vas a ponerte fea.

Está bella en cambio, tiene los ojos más grandes ahora, más brillantes, y trae el pelo suelto a menudo, pues se lo lava casi a diario. Por lo negro del vestido parece mayor, o será que le da una especie de elegancia.

No ha querido jugar a la oca ni a la lotería.

—Es por el luto —opina Celia.

Juana cree que por mañas, o por hacerse la interesante. ¡Eso de retirarse tan temprano a su cuarto! Nada más cierra Jorge la tienda y ella se instala y no vuelve a salir. La trastienda es pequeña, se llena casi cuando ella desdobla el catre. Guarda sus propiedades en una caja. Cierra Jorge y Hortensia va a acostarse. Si a veces alguien toca pidiendo que le vendan a deshoras, ella lo atiende y lo despacha, y ya en la casa lo sabrán al día siguiente, cuando les dé el dinero.

—Está pálida y flaca por tanto dormir. Si duerme. No es normal que se encierre allí sola doce horas. Son las siete. Va a levantarse a las siete —dice Juana.

—A los jóvenes les hace falta dormir. Y ella está de luto —dice Celia.

—El sueño alimenta y es bueno para la salud —dice Jorge.

Luego Mario se sienta a jugar con ellos, el vuelo de la oca sobre puentes, pozos, cárceles, laberintos.

Para disgusto de todos, Hortensia se cortó el pelo: ella misma lo hizo, le quedó disparejo, irregular. Celia tuvo que tomar las tijeras y ver si algo podía arreglarle.

—Muchacha, cómo fuiste a hacer eso. Era precioso.

—Era una... porquería.

—Son tan tontas las jóvenes. Ayúdame, Mario. Tengo muy mal pulso. emparéjale aquí.

Va quedando más corto aún, pero con apariencia regular.

—Pareces tifosa. Esto ya está mejor. En fin, así es la moda ahora, he visto el periódico.

Mario le murmuró, por lo bajo:

—Regálame el pelo que te cortaste.

—Ya lo tiré a la basura.

—¿Por qué?

Ella se encogió de hombros.

Él acabó de emparejarle. Cada tijerazo dolía. Ella cambia, cada vez más. Ya ni siquiera hay trenzas para

ponerles flores, ni hay guedejas al sol. Mutilación pro-
gresiva, cada día falta un rasgo, esta imagen de negro
no es venerable, uno desea intensamente tocarla, verla
desnuda, pero aquello, intuimos, no sería alegre, ni sería compartido tal vez, hay algo que da espanto en los
ojos grandes, el pelo corto, la boca tensa, los gestos
duros y divagados de las manos. No se permite uno
imaginar cosas: así la mutilaría más, no se permite
uno verle demasiado los senos o las nalgas o las piernas o se mutilaría el resto, quedarían nada más unos
senos de luto, unas nalgas que las piernas transporta-
rían a través de la casa, ¿y dónde estaría Hortensia?
Es mejor recordarla completa. Hortensia la de antes,
aunque de pronto den ataques de llanto compulsivo
cuya causa ignoramos, y ruede uno por el suelo, gimiendo entre los pinos, o se abrace uno al tronco dando gritos, diciendo luego al levantarse, sin entender:
—Tal vez me estoy volviendo loco.
Pero lo dice superficialmente, por engañar a las apariencias. Mario no sabe lo que le ocurre pero sabe que
va a saberlo. Sufre así porque sabe que va a saberlo.

Ahora Ricardo llega tarde, muy sigilosamente. Son
dos noches, tres noches que llega tarde. Cena y se va.
Vuelve cuando ya todos duermen. Mario no le pregunta nada, trata de imaginárselo caminando por las calles oscuras, pero no logra trazar mejor lo incierto de
la imagen. Ve el reloj de pulsera a hurtadillas, los signos luminosos marcan la una. Oye la cautela del otro
cuando se mete entre las sábanas, y oye cómo lanza
un suspiro algo convulso. Luego, silencio. Los dos
duermen. O los dos velan.

Han cenado. Ricardo va a salir.

—Voy contigo —propone Mario.

—No, ¿para qué? Nada más voy a caminar.

—Sí, déjalo que vaya. Suceden tantas cosas...

—Ya ves lo de Efraín.

—Mejor no salgas solo.

—Y abrígate, hace frío.

Los tres viejos han apoyado a Mario, el hermano hace un gesto indeciso de aceptación.

—Yo traigo suéter. Ponte tu chamarra —propone Mario.

—No. Así voy bien.

Salen, caminan al azar. Mario sigue a Ricardo y éste no tiene rumbo. Da vuelta en una calle, va derecho, da vuelta en otra. Luego, ya tiene rumbo: de regreso. Pasan por la puerta de la tienda, le dan vuelta a la esquina, ya están frente al zaguán de la casa.

—Abre —dice Ricardo.

Los dos entran, y en silencio van a acostarse. El reloj suena muchas veces: quiere decir: casi las once de la noche.

Después Mario despierta y Ricardo no está. "Asunto suyo. Qué me importa. Habrá ido al baño." Se levanta de un salto, va descalzo a asomarse: el baño está vacío. Vuelve a acostarse, el corazón le late con violencia y no sabe por qué. Dormita, se despierta. Dormita. Siente llegar al otro; una luctuosa luz helada precede al día, cantan cerca los gallos, y cantan lejos. Muy furtivo, Ricardo se mete entre las sábanas. Un momento después, está roncando.

Después de la cena se fueron a dormir. Pasó una hora.

Y Ricardo se levantó con infinitas precauciones: descalzo, la ropa en la mano, para vestirse afuera.

"Qué me importa, es asunto suyo, también yo salgo cuando quiero. Tendrá una vieja por ahí. Eso ha de ser. O se irá a la cantina. Éste se está volviendo borracho. Pero no siempre huele a alcohol." Tiembla, sin embargo; no lo calientan las cobijas ni se presenta el sueño. Aunque sí llega, de golpe. Luego, un rumor: ruiditos: Ricardo.

Mario encendió la luz y Ricardo dio un salto: quedaron viéndose, las preguntas de Mario pintadas en el aire, en medio de los dos. Silencio. Mario apagó la luz, se acostó. Ricardo también. No se durmieron. Luego se oyó la voz, muy quedo, de Ricardo:

—Enciende, ¿no?

Mario encendió. Ricardo está bocabajo. No dice nada ni se mueve, el cuerpo flojo y abandonado, las facciones muy demacradas.

—¿Qué te sucede?

El otro niega, escondiendo la cara. Mario siente un dolor horrible por su hermano, y va a él y le pone una mano en la nuca. Se la pasa despacio por el pelo. Ya va a acostarse y el otro dice:

—No apagues.

Mario vuelve a su sitio y ahora Ricardo se levanta de golpe, va a sentarse al catre del hermano y lo sacude con un temblor nervioso:

—Ya vámonos —propone—. A la casa. ¿No quieres que nos vayamos?

—Sí. Vámonos.

—Mañana.

—Sí, si quieres. Mañana.

—Bueno.

Aprieta la mano de Mario. Luego apaga la luz. Luego, parece que se duerme.

Mario lo dijo en el desayuno:
—Nos vamos esta tarde.
Hubo aspavientos de Celia y Jorge. Juana hizo un gesto indefinido y en seguida estuvo de acuerdo mientras los otros dos seguían:
—Pero por qué, tan pronto, no se acaban las vacaciones, quédense otro poquito.
Empezaron a empacar.
—Ésta es mi mochila. ¿Dónde está la tuya?
La mochila de Ricardo no apareció.
—¿Ves cómo la perdiste?
—Pues sí, ya ni modo, me llevo todo en un paquete.
Camisas y calcetines, y pantalones, y la chamarra de cuero que está muy fea, luce manchas grisáceas, está sin lustre en varios puntos, gastada y envejecida.
—¿Qué le pasó? ¡Mírala cómo está!
—Le cayó tinta y la quise limpiar con tequezquite. Ya no sirve.
—Con un poco de grasa...
—Sí, tal vez. A ver.
—Deja arreglarla. Si queda bien... ya te la llevas puesta. O me la pongo yo.
—No. Dámela.
La guarda, con prisa. Envuelve el bulto, lo amarra. ¿Nada se olvida? Trajeron pocas cosas.

A las seis va a salir el camión. Podrían irse a las ocho

131

pero es mejor llegar temprano a México. Cuando padres y tíos, en la sala, ven la televisión.

Mario da vueltas por la casa, busca sin buscar y anda entre las macetas, pasa por la cocina o se sienta en el brocal del pozo. Por fin va al gallinero y allí la figura negra, delgada, de pelo ralo y ojos de azoro, no se da por enterada de su presencia, sigue arrojando sobras de comida y alborotando cacareos. Él mete los diez dedos al alambrado, pega la cara, contempla a Hortensia como quien ve una obra muy preciosa en un museo. Y el objeto de arte viene de pronto a él, lo ve a los ojos y le murmura como con prisa:

—Tú no te vayas hoy. Quédate.

Él la ve a los ojos y está raramente tranquilo, con unas gotas de sorpresa y de azoro. Asiente nada más, sin decir nada. Ella sigue arrojando comida a las gallinas.

Son ya las cinco y media. Mario dice:

—No me voy hoy.

Ricardo está observándolo, y es quien baja la vista.

—Como tú quieras. Yo sí.

Nada más.

Abrazó a los viejos, tomó el paquete de su equipaje. Mario y Hortensia fueron con él a la parada del camión.

Hay un grupo de gente esperando, y hay bultos que cargar. Entre los tres no parece haber nada que decirse. Patean piedritas, Mario acaricia un perro, comentan que el camión vendrá lleno.

Después oyen el ruido y el vehículo llega y se para

en medio de un remolino de polvo. La gente baja y a empujones los pasajeros nuevos tratan de subir. Ricardo se despide, ahí nos vemos, un gesto vago, ya se aleja de ellos. Cuando Hortensia corre a alcanzarlo. Y él se detiene, y los dos quedan viéndose.

—Voy a comprarte algo de comer. Para el camino.

—Qué caso tiene. Son tres horas, o menos.

—Ah, claro. Adiós.

—Adiós.

Ella vuelve con Mario. Ricardo iba a subir: regresa junto a ellos. Ve a Hortensia. Ve a Mario.

—¿Cuándo te vas?

—Dos o tres días, yo creo.

—Bueno. Y tú... Déjate crecer el pelo.

—Sí.

—Ya no te lo cortes.

—No.

Él ya se va. Va a subir. Los ve. Hortensia grita:

—Ricardo.

Y corre junto a él. Ahí se queda, callada.

—Sí. Dime.

—Te iba a encargar... cosas. Pero... no tiene caso.

Y se regresa. Él va tras ella.

—Pues dime.

—No, nada.

—¿De veras?

—Nada.

Ahí están viéndose. Ahora no se ven aunque estén frente a frente: ella ve al suelo, él ve a otros puntos, pero no se retira.

Mario le avisa:

—Está arrancando el camión.

Y Ricardo parece pálido, grisáceo, porque el ocaso, opaco y lóbrego, todavía se prolonga. Asiente, sí, el camión, ya se va. Yo también. Corre de golpe, sin transición, salta al estribo en movimiento, hace un último gesto poco claro, porque en la mano cuelga el bulto de ropa. Ya se aleja, entre rachas de polvo.

Mario y Hortensia, sin hablar, caminan a la casa. De repente hace mucho frío, van temblando.

—Está triste porque se fue el hermano.

—No estoy triste.

Ya es hora de dormir. Hoy Mario no ha querido jugar.

Desde el umbral Hortensia dice "hasta mañana" y le contestan todos; ella ve a Mario, que no responde tan sólo el "hasta mañana" y no las frases mudas. ¿Las percibió?

Ha quedado despierto, esperando el silencio de la casa. Ahora se levanta, se viste con cautela. Se oye zumbar afuera el viento. Haría falta la chamarra: se pone un suéter que saca de la mochila, pues no ha deshecho el equipaje.

Va hacia el zaguán, de puntitas. Regresa. Y se echa al hombro la mochila. Después sale a la calle y cierra suavemente tras de sí, y camina con pasos muy seguros, dando vuelta a la casa y a la esquina. Va a la puerta cochera y allí duda: luego golpea muy quedo con los nudillos: está tocando una contraseña inventada en ese momento: es entendida instantáneamente porque se abre cautelosamente la puerta. Pasa a la tienda. Hortensia ya cerró.

La penumbra permite ver, también la calle estaba

oscura. Hortensia, en camisón, dice:

—Ven.

Y camina hacia el fondo, donde él sabe que está la cama.

—Espérate aquí —dice Mario.

Pero ella se fue ya a la trastienda y él la sigue.

Hay una veladora parpadeante y ella está arrebujada entre las cobijas. Le hace lugar pero él se sienta en el filo del catre.

—Encuérate —dice quedito la mujer desconocida que está en lugar de Hortensia.

La veladora parpadea.

—Quiero que me lo digas todo.

"Ya sé", piensa, "ya lo sé. Ya lo sé todo".

—No —dice ella—. Después.

—No —dice él—. Ahora.

Ella niega.

—Todo. Todo. Quiero saberlo.

Entonces ella empezó a contar, con una voz pequeña, sin tonos, muy pareja.

7

Esa noche llegó con retraso el último camión. Supo que no lo había perdido por el grupo disperso que está esperando, los rostros en la sombra, las voces apagadas. Se mueven poco, encogidos, o compran algo si vienen niños friolentos a vender. Comentan cosas breves, desganadamente impacientes; Mario se sienta en una piedra. Después, los fanales opacos se acercan entre el polvo.

Hay mucho movimiento desconfiado, veloz; la gente se prepara a correr, a competir, a asaltar. Mario subió a empujones y no había asientos. Colocó la mochila entre otros equipajes, se colgó de la barra. Se oyen voces afuera, hay golpes en el techo cuando acomodan bultos. Adentro es otro mundo, raramente hay silencio, sonmolencia. Un vaho empaña las ventanillas y huele a polvo y a sudor de cuerpos que tienen trato con animales y con la tierra.

Mario quedó en medio de un grupito de viejos. Traen cotonas de lana, sombreros de petate. Comentan cosas entre pausas, fuman cigarros delgaditos que parecen quemarles los dedos. Luego el camión arranca, se bambolea, avanza, el cobrador se desliza entre la gente, Mario le paga, los viejos hablan. Mario oye frases, pierde palabras, oye palabras sueltas.

—Vamos a estar como a las cuatro. Viene tarde.
—Es buena hora. Entre que llega uno al mercado...
—...A las seis.
—Las ventas...
—...Tequezquite...
—El tequezquite limpia todo. Plata, metales, ropa...
—Limpia hasta las manchas de sangre.

¿Siguen hablando? Están viéndolo. Los cuatro viejos ven a Mario. Él los ve. Luego jala el cordón del timbre, largamente. Y empujando a la gente con suavidad va hacia la puerta. Jala otra vez, con insistencia. El camión se detiene. Dificultosamente se abre la portezuela, por lo desvencijada, y Mario baja y se queda parado allí, entre los pinos, al pie del cerro. Ve como el camión da tumbos y se va, dos lucecitas rojas que se nublan con el polvo.

Luego tinieblas.

Los viejos hablan.

se lastimó espantosamente los pies y por las noches pasaba frío. No sabía distinguir una yerba de otra no sabía encender fuego y no sabía escuchar las instrucciones sin palabras le indicaban "allá está el manantial" "esta cueva y no aquélla"; después, esa disentería medio lo consumió, un día mascó unas yerbas lo curaron casi inmediatamente. Lo peor: la temporada oscura del no saber, de llorar el día entero porque no hallaba nada de llorar por haber dejado a la esposa (con su máquina de coser nueva) y a cuanto era conocido y no encontrar en cambio que estaba haciendo aquí, no creer ya (por algún tiempo) lo que antes había entendido tan bien. Después (mucho después), una mañana al abrir los ojos todo se había transfigurado

Mario oye frases, pierde palabras, oye palabras sueltas.

Ésta se deja, si con él quiere, más conmigo. Y se dejó, Ricardo es guapo, un juego para Ricardo, "está muy buena" porque ha visto el corazón en el cerro, si él puede yo también. Y hay esa casa en México las alfombras televisión allá hay muchos caminos mucha gente y el cuarto de servicio los dos hermanos pero si yo les digo van a empezar con qué casualidad

—*Vamos a estar como a las cuatro. Viene tarde* a buscarla siempre, Efraín viene por eso no la quiere Liboria en su casa. Juana sabía no todo pero algo los viejos inocentes ella nos vio los vio

flaco, lleno de costras, el ermitaño busca raíces, oye que viene alguien y se esconde, un esqueleto hediondo, tan sucio y harapiento, corre a esconderse entre las peñas

—*Es buena hora. Entre que llega uno* al mercado ¿por qué dejaste que me llevaran? A Efraín ya no lo quiero y Liboria se enoja es mejor regresar con Mario y Ricardo, ellos pueden también ir a buscarme, decir "que nos la den", Liboria diría sí, maltrato y sustos, diles que me reciban, recomiéndame tú puedes, un beso detrás del árbol no vaya a vernos Efraín.

—*Tequezquite*

Hay un filo de cerro agua textura de metal cantaron acostados se rieron mucho ahora le toca a él así pide que vayas, salte entonces déjanos solos, están de acuerdo.

—*El tequezquite limpia todo plata metales* cuero y conserva la carne sin corromper por eso en oca-

siones la entierra en la pared de su cueva (se le olvida
dónde, a veces) y el ermitaño desentierra un pedazo de
carne lo guardó hace ya tiempo y lo mastica lentamente, sin repugnancia, con distracción.

Los celos de Ricardo, no sólo Mario, el cuñado también, ahora el juego es furia voracidad posesión, citas
en el cerro la laguna los rincones del pueblo, a veces
ella no acude no la deja el cuñado, si me niego me
pega, ya no quiero con él, sólo contigo.

—*Limpia hasta las manchas de sangre*
buscan rincones cuevas por aquí pasa gente nos
van a ver qué me importa, lo ha vuelto loco, nunca fue
juego ¿fue?

y agradeció la muerte, aún pudo oír un gran escándalo de trinos y pensó que tal vez no debiera morirse
todavía, pero estaba cansado, sí, quería irse ya y los
trinos estaban transformándose y él asentía, decía sí
con la cabeza, con los ojos perdidos

Efraín despierta ¿dónde? Hortensia lo ha vuelto loco
Liboria está acabada la chamaca ha crecido bebe por
ella, antes se emborrachaba por otras causas, ahora
por ella, allí en la casa no se puede a gusto, antes se
daban citas ya no quiere, darle sus cabronazos y a la
fuerza, se niega se me escapa bien que le gusta, el domingo amanecí en el quicio de una puerta se va al
monte a dormir con la botella junto, sueño de todo el
día y va guiado ¿por quién? por la costumbre a la cueva de techo bajo junto al lago Hortensia grita, si hay
lucha no es muy larga ¿con qué fue? un cuchillo de
excursionista o esa navaja de muchas hojas se abre
con un golpe de resorte tal vez con el cuchillo mismo
de Efraín Ricardo es fuerte y la sangre los gritos los

gritos grita Hortensia le están rodando encima tiene la ropa alzada y el pelo suelto Ricardo está sin pantalones, les quedó muerto encima borbotones de sangre por la boca todo el pelo y la cara de Hortensia encharcados de sangre   No lo dejes aquí

Déjalo aquí   ¿cómo van a arrastrarlo entre los dos?

hay que dejarlo aquí   Declarar

están sucios   nubes desgarradas y sangrientas y ella se lava el pelo la cabeza metida en el espejo oscuro rojo del agua le entró por la nariz tose y se ahoga erizada de frío todavía no lo entienden

ha de estar vivo hay que volver y ver no no está vivo despatarrado desangrándose hay que arrastrarlo por los pies la cara se le raspa con las piedras negras los dos están gritando mientras lo arrastran a cada tumbo que da el cuerpo en la orilla está baja el agua, la chamarra quedó tirada tiene manchas se pegostea en los dedos. Ha de estar vivo no no está

¿Siguen hablando? Están viéndolo. Los cuatro viejos ven a Mario

La mochila encharcada quemarla. Y el otro allí tan cerca de la orilla. Enterrar la mochila. Vestirse con la ropa mojada. Se movió ha de estar vivo. No. Lo mueve el agua. Hay que empujarlo más adentro con este palo largo

Si ella vuelve a gritar así voy a darle de palos

Ya no lo empujan más allí se quedan empapados, cómo voy a volver al pueblo. Ella quiere lavarse otra vez el pelo todavía tengo sangre pero el agua de la laguna les da asco

Este frío horroroso no va a quitarse ya nunca

También entierra la chamarra me vieron salir con

ella desenterrar la mochila enterrarla más lejos Entre los pinos Otro día hay que quemarla Ella no quiere volver al pueblo y él la arrastra y la empuja Ya no gritan. Luego el pánico los árboles   correr Desde aquí separarnos   Hortensia tiene miedo y ahora se le acerca No vamos a llegar juntos vete no te me acerques lárgate el horror de tocarse asco lárgate y la apedrea la mira irse la apedrea la ve correr

Él los ve. Luego jala el cordón del timbre, largamente.

A tropezones en lo oscuro. Se han perdido de vista, la descubre ya en el camino, escurrida y mojada, allá va ella trotando, deteniéndose. Él toma entonces otra ruta, no quiere verla.

No va a atreverse a entrar. Va a esperar que se duerman. En la calle se mueven focos se mueven sombras lo espían. Entra a la casa.

El camión se detiene. Dificultosamente se abre la portezuela, por lo desvencijada. Y Mario baja y se queda parado allí

buscarla por las noches; pasar la noche junto a ella; esa furia del cuerpo ahora es todo, el pensamiento día y noche, la forma de olvidar justificar compartir, echarse adentro de ella, restregarse contra ella todo el día si es posible pero sólo en la noche, hay que salir dar la vuelta a la esquina se abre la puerta de la tienda va a darse cuenta Mario Mario ya sabe No, no sabe sí sabe Va a darse cuenta va a decirlo No, no va a decirlo. Los días borrosos de no pensar, de no hablar No fue cierto mentiras. No ha sucedido nunca. Sí sucedió. ¿Por qué me pide siempre la chamarra?

Entre los pinos, al pie del cerro

pero no quiero ya pensar en él como en un animal que muere solo "no murió solo" no quiero pensar en él en la comida se la dejaban las buenas gentes y se encuentra a veces cuando está putrefacta pero la come de todos modos eso no se entiende ¿porqúe, qué caso tiene vivir así? siempre me ha dado horror, ya no me hagan pensar en él   Pero entonces cae en lo otro como un péndulo, ese relato que la mujer desconocida le volcó en los oídos como un veneno preferible ver al ermitaño rascándose en la cueva mono sarnoso enfermo a la intemperie sabio vidente repulsivo viendo a Ricardo desenterrar objetos y enterrarlos de nuevo y desenterrarlos y enterrarlos y guardarlos no pudo verlo ya se había muerto

Ve como el camión da tumbos y se va

tal vez Mario no sepa pero ha llorado por las noches, porque se la gané, será por eso. El corazón pintado el corazón de plata que Efraín empeñó en la cantina asco del pelo, pelo corto, parejo de tifosa, de loca, de escapada del hospital, pero no sabe nada y si sabe no va a decirlo. Se lo voy a contar todo, voy a decirle todo, voy a pedirle ayuda, voy a decirle todo en la cama. No va a decirlo y va a sacarme de aquí

dos lucecitas rojas que se nublan con el polvo.

pero los trinos ya estaban transfigurándose y él asentía   sonreía

lárgate vete y la apedrea la mira irse trotando escurrida   mojada

Luego tinieblas.

Después empezó a ver. El camino con las salidas canceladas: ni a la ciudad ni al pueblo. El tronco, la corteza, tiene la cara contra el tronco: algo pegajoso, resina. No. He de haberme caído al bajar. No. Ha pasado mucho rato. No hay regreso al pueblo. No hay regreso a la ciudad. No hay regreso.

Va caminando. ¿Sube? ¿El cerro? Se tropieza. Van pasando a los lados troncos y las ramas arriba a contraluz, porque hay estrellas: un segundo en los ojos y otra vez las agujas renegridas. Demasiada la oscuridad: de rodillas, pensó: no va a acabarse nunca.

No entender nada. Sólo un tejido de sombras casuales, inconexas: una maraña de sufrimiento. Mario amarrado allí, Mario grita, Mario rueda y grita mordiendo cosas al azar: yerba, tierra, su propia mano. Luego corre, camina. Luego allí está tirado un muchacho que no entiende no sabe: un enredijo absolutamente negro e irracional y alguien hundido, vocecita insignificante aullando a la confusión total desde algún punto que no quiere decir nada: ese punto cualquiera de aislamiento no es nada entre las tinieblas que parecen eternas.

Pero al abrir los ojos, al ver: es como sangre. Algo ocurre en el cielo, un movimiento. Está allí enfrente, casi: está elevándose. Una imagen desligada de las tinieblas. Cuando salga va a ser atroz.

Inevitable, viene, se siente su ritmo ascendente, y se propone de pronto, más allá de la razón (¿es así? ¿es así?) y con la luz las cosas vuelven a su apariencia múltiple.

son pinos son rocas y son
Porque están las tinieblas, se hunden, por un lado y esto sube
esto que luego habrá de hundirse

para que asciendan las tinieblas
el juego de las pesas, de la balanza, del péndulo,
una   forma de simetría.

Pero era más: el saber es un compromiso atroz, es
aceptar algo que nos aplasta y nos borra, algo que no
entenderé jamás pero está irradiando y hace falta saberlo, algo excesivo, lo percibí una vez, esa armonía
deslumbradora, ese tejido de árbol en árbol desbaratándose o expandiéndose y esto es lo mismo pero de
otra manera, un juego y una trama espantosa de rela-
ciones creciendo desplegándose hasta el dibujo en el
abanico que incluye todo y allí están las dos cuevas,
los dos cadáveres en equilibrio permanente, las tinieblas hundiéndose y la geometría lineal del fuego na-
ciendo y encendiéndose en alboradas en cada aguja y
en cada roca y en los granos de polvo y en el fondo y
en el centro del cielo como un golpe de sangre, de sentido, de pánico:

—Sí. Amanece. Sí. Es así. Sí. Entiendo. Sí. No lo so-
porto. Sí.

El Sol.

México, D.F., diciembre de 1967 ~ mayo 3 de 1969.